Classici italiani per stranieri

2

Giovanni Boccaccio

Cinque novelle dal Decamerone

a cura di Maurizio Spagnesi

Bonacci Editore

2ª ristampa della 1ª edizione

Printed in Italy

Bonacci editore

Via Paolo Mercuri, 8 - 00193 Roma
(ITALIA)
tel. 06/68.30.00.04 – fax 06/68.80.63.82
e-mail: info@bonacci.it

Attenzione: vi comunichiamo che nel 2009 trasferiremo tutti i nostri uffici. Pertanto se vorrete in futuro telefonarci, inviare un fax, o venirci a trovare, vi consigliamo di visitare prima il nostro sito, dove troverete inuovi recapiti (indirizzo, telefono e fax).
Il sito web e la posta elettronica rimangono invece invariati:
www.bonacci.it e **info@bonacci.it**
Ci scusiamo per gli eventuali disagi causati da questo trasloco.

© Bonacci editore, Roma 1995
ISBN 978-88-7573-293-6

INTRODUZIONE

Obiettivo di questo libro è quello di far conoscere al pubblico straniero Giovanni Boccaccio, che con il *Decamerone* è entrato nella storia della letteratura di tutti i tempi.

Boccaccio è vissuto nella Toscana del Trecento, in un periodo caratterizzato da una fiorente e attiva civiltà comunale. Il *Decamerone* è una raccolta di novelle che rispecchia proprio questa epoca ricca di fascino e di fermenti culturali; è una straordinaria galleria di personaggi, principi, religiosi, cavalieri, mercanti, artigiani, servi; è la celebrazione di un'epoca di rinnovamento, un'epoca di forte sviluppo commerciale, che ha nell'iniziativa personale e nell'intraprendenza individuale i suoi massimi valori, in ogni campo della vita.

In questo libro sono presentate al lettore alcune delle novelle più famose, affiancate da un aiuto alla lettura, una sorta di traduzione in lingua italiana moderna, che rende più agevole il compito di comprendere l'italiano trecentesco di Boccaccio, piuttosto complesso soprattutto a causa di particolari scelte sintattiche e lessicali oggi non più in uso. Questa 'traduzione' vuole essere il più fedele possibile all'originale; si avverte comunque il lettore che nel passaggio alla lingua moderna non sempre è possibile rendere il colore e lo spirito che hanno fatto di Boccaccio un maestro della letteratura. A margine di ogni novella sono offerte anche delle note esplicative e informative; alla conclusione del libro, infine, sono presentate delle informazioni critiche e biografiche.

ROSSIGLIONE E SUA MOGLIE

GIORNATA QUARTA, NOVELLA NONA

Gli sfortunati protagonisti di questa novella sono due vittime dell'amore, che nulla possono né vogliono fare per ostacolare l'improvvisa passione che li ha travolti. Così la donna, pur se sposata, non esita a finire tra le braccia del migliore amico del marito.
Boccaccio, incurante degli schemi sociali del tempo, difende questa

1 Le biografie provenzali parlano non di Guglielmo ma di Raimondo di Castel Rossiglione. Visse tra la fine del 1100 e l'inizio del 1200.

2 Secondo le biografie provenzali, sarebbe stato vassallo, e non amico di Guglielmo Rossiglione.

3 La giovane che ha raccontato la novella precedente.

4 Chi ogni giorno, ol-

Messer Guiglielmo Rossiglione[1] dà a mangiare alla moglie sua il cuore di messer Guiglielmo Guardastagno[2] ucciso da lui e amato da lei; il che ella sappiendo poi, si gitta da un'alta finestra in terra e muore, e col suo amante è sepellita.

Essendo la novella di Neifile[3] finita, non senza aver gran compassion messa in tutte le sue compagne, il re,[4] il quale non intendeva di guastare il privilegio di Dioneo,[5] non essendovi altri a dire, incominciò:
— Èmmisi parata dinanzi, pietose donne, una novella alla qual, poi che così degl'infortunati casi d'amore vi duole, vi converrà non meno di compassione avere che alla passata, per ciò che da più furono coloro a' quali ciò che io dirò avvenne e con più fiero accidente che quegli de' quali è parlato.

Dovete adunque sapere che, secondo che raccontano i provenzali,[6] in Provenza furon già

donna e si commuove nel descriverne il coraggio e la nobiltà d'animo. Sarà il marito alla fine il vero responsabile morale della tragedia, il vero sconfitto, colui che per lavare l'offesa del tradimento subito, uccide l'amico e provoca il suicidio della moglie infedele.

Messer Guglielmo Rossiglione dà da mangiare alla moglie il cuore di messer Guglielmo Guardastagno, da lui ucciso e da lei amato; saputo ciò, la donna si butta da una finestra alta, muore ed è sepolta insieme al suo amante.

Siccome la novella di Neifile era finita, non senza aver suscitato grande compassione in tutte le compagne, il Re, che non voleva guastare il privilegio di Dioneo, siccome non c'era più nessuno che doveva raccontare, cominciò:
— Pietose donne, mi è venuta in mente una novella dinanzi alla quale, poiché sentite un così grande dispiacere per le storie d'amore sfortunate, vi sarà appropriato provare non meno compassione di quella mostrata per la novella precedente, dato che coloro a cui accadde quello che dirò furono di più alta condizione ed ebbero una sorte più crudele di quelli di cui si è parlato.
Dovete dunque sapere che, secondo quello che raccontano i provenzali, in tempi passati in

tre a raccontare una novella, organizza le operazioni e assegna il tema delle novelle. Il re della quarta giornata è Filostrato, che racconterà anche questa novella; le novelle della giornata trattano amori che ebbero una conclusione infelice.

[5] Il giovane che dovrà raccontare la novella successiva.

[6] Il Boccaccio stes-

5

so dichiara di aver derivato la fonte della novella dagli scritti provenzali. La fonte è da ricercare in una biografia del trovatore Guglielmo di Cabestaing, in cui si ha notizia del suo amore per Saurimonda, la moglie del signore Raimondo di Castel Rossiglione, della vendetta di quest'ultimo e della tragica fine dei due amanti.

7 Plurale in -a , come quelli dei nomi neutri latini.

8 Il torneo era una gara fra due squadre di cavalieri; la giostra era una sfida individuale.

due nobili cavalieri, de' quali ciascuno e castella[7] e vassalli aveva sotto di sé: e aveva l'un nome messer Guiglielmo Rossiglione e l'altro messer Guiglielmo Guardastagno. E perciò che l'uno e l'altro era prod'uomo molto nell'arme, s'armavano assai e in costume avean d'andar sempre a ogni torneamento o giostra[8] o altro fatto d'arme insieme e vestiti d'una assisa. E come che ciascun dimorasse in un suo castello e fosse l'uno dall'altro lontano ben diece miglia, pure avvenne che, avendo messer Guiglielmo Rossiglione una bellissima e vaga donna per moglie,[9] messer Guiglielmo Guardastagno fuor di misura, non obstante l'amistà e la compagnia[10] che era tra loro, s'innamorò di lei e tanto or con uno atto or con un altro fece,[11] che la donna se n'accorse; e conoscendolo per valorosissimo cavaliere le piacque e cominciò a porre amore a lui, in tanto che niuna cosa più che lui disiderava o amava, né altro attendeva che da lui esser richesta: il che non guari stette che adivenne, e insieme furono una volta e altra amandosi forte.[12]

E men discretamente insieme usando, avvenne che il marito se n'accorse e forte ne sdegnò, in tanto che il grande amore che al Guardastagno portava in mortale odio convertì; ma meglio il seppe tener nascoso che i due amanti non avevan saputo tenere il loro amore, e seco diliberò del tutto d'ucciderlo. Per che, essendo il Rossiglione in questa disposizione, sopravenne che un gran torneamento si bandì in Francia; il che il Rossiglione incontanente significò al Guardastagno e mandogli a dire che, se a lui piacesse, da lui venisse e insieme diliberrebbono se andar vi volessono e come. Il Guardastagno lietissimo rispose che senza fallo il dì seguente andrebbe a cenar con lui.

Provenza vissero due nobili cavalieri, i quali avevano sotto di sé castelli e vassalli; uno si chiamava messer Guglielmo Rossiglione e l'altro messer Guglielmo Guardastagno. Siccome entrambi erano molto valorosi nell'uso delle armi, spesso vestivano l'armatura ed erano soliti andare assieme e con una medesima divisa ad ogni torneo o giostra o ad ogni altra competizione cavalleresca. Benché ciascuno dei due abitasse nel proprio castello e fosse distante dall'altro più di dieci miglia, ugualmente accadde che, avendo messer Guglielmo Rossiglione per moglie una donna bellissima e piena di grazia, messer Guglielmo Guardastagno, nonostante l'amicizia e la fratellanza d'armi esistente con l'amico, si innamorò di lei e tanto fece, ora con un atto ora con un altro, che la donna se ne accorse; e sapendo che era un uomo coraggioso e cortese ne rimase affascinata e cominciò ad amarlo, a tal punto che niente desiderava o amava più di lui, e aspettava solo che lui le chiedesse di acconsentire al suo amore: e non passò molto tempo che ciò accadde e stettero insieme una volta e altre volte ancora amandosi intensamente.

Ora avvenne che, intrattenendosi i due amanti insieme con minor prudenza, il marito se ne accorse e si sdegnò fortemente, tanto che il grande affetto che egli provava per Guardastagno si trasformò in odio feroce; ma riuscì a nasconderlo meglio di quanto i due amanti avevano saputo nascondere il loro amore, ed in cuor suo decise di ucciderlo in ogni modo. Mentre il Rossiglione era in questo stato d'animo, capitò che nel regno di Francia fosse organizzato un grande torneo cavalleresco; il Rossiglione ne informò subito il Guardastagno e gli mandò a dire di venire da lui, nel caso fosse interessato, così da poter decidere insieme se prendervi parte e in che modo. Il Guardastagno contentissimo rispose che con tutta certezza sarebbe andato a cena da lui il giorno seguente.

[9] Secondo le biografie provenzali, Saurimonda di Pietralata.

[10] *Compagnia* è da intendere in senso cavalleresco.

[11] Il Boccaccio non parla delle canzoni che, secondo la biografia provenzale, Guglielmo scrisse per la sua donna, anzi non fa cenno della sua qualità di trovatore.

[12] Nota la costruzione del periodo, ricca di proposizioni subordinate, e le due parole finali che a conclusione del discorso mettono in evidenza l'elemento più importante.

13 *Famiglio, famigliare*, erano espressioni dell'uso comune, e indicavano i servi, i domestici.

14 Nell'uso comune *fellone* indicava chiunque disprezzava gli ideali di cortesia e onore.

15 Osserva la forza del grido, nel silenzio della foresta.

16 Il particolare delle mani accentua la passione malvagia del Rossiglione.

17 La banderuola che veniva messa vicino al ferro della lancia.

Il Rossiglione, udendo questo, pensò il tempo esser venuto da poterlo uccidere; e armatosi, il dì seguente con alcun suo famigliare montò a cavallo e forse un miglio fuori del suo castello in un bosco si ripuose in aguato donde doveva il Guardastagno passare. E avendolo per un buono spazio atteso, venir lo vide disarmato con due famigliari[13] appresso disarmati, sì come colui che di niente da lui si guardava; e come in quella parte il vide giunto dove voleva, fellone[14] e pieno di maltalento, con una lancia sopra mano gli uscì adosso gridando: «Traditor, tu se' morto![15]», e il così dire e il dargli di questa lancia per lo petto fu una cosa.

Il Guardastagno, senza potere alcuna difesa fare o pur dire una parola, passato di quella lancia cadde e poco appresso morì. I suoi famigliari, senza aver conosciuto chi ciò fatto s'avesse, voltate le teste de' cavalli, quanto più poterono si fuggirono verso il castello del lor signore. Il Rossiglione, smontato, con un coltello il petto del Guardastagno aprì e con le proprie mani[16] il cuor gli trasse, e quel fatto avviluppare in un pennoncello[17] di lancia, comandò a un de' suoi famigliari che nel portasse; e avendo a ciascun comandato che niun fosse tanto ardito, che di questo facesse parola, rimontò a cavallo e essendo già notte al suo castello se ne tornò.

La donna, che udito aveva il Guardastagno dovervi esser la sera a cena e con disidero grandissimo l'aspettava, non vedendol venir si maravigliò forte e al marito disse: «E come è così, messer, che il Guardastagno non è venuto?[18]»

A cui il marito disse: «Donna, io ho avuto da lui che egli non ci può essere di qui domane», di che la donna un poco turbatetta[19] rimase.

Il Rossiglione, smontato, si fece chiamare il cuoco e gli disse: «Prenderai quel cuor di cinghiare e fa che tu ne facci una vivandetta[20] la

Il Rossiglione, sentendo questa risposta, pensò che fosse giunto il momento di ucciderlo; così il giorno seguente dopo che si fu armato salì a cavallo con alcuni servi e si mise in agguato in un bosco distante circa un miglio dal suo castello, in un luogo da dove il Guardastagno doveva passare. Dopo averlo aspettato a lungo, lo vide venire disarmato seguito da due servi anche loro disarmati, proprio come chi non avesse niente da temere da lui; e appena lo vide arrivare nel luogo dell'agguato, gli saltò addosso con una lancia in pugno, gridando: «Traditore, sei un uomo morto!», e mentre diceva queste parole gli trapassò il petto con la lancia.

Il Guardastagno, senza potersi difendere in alcun modo e senza poter dire una parola, trafitto dalla lancia cadde a terra e poco dopo morì. I suoi servi, senza aver riconosciuto chi avesse compiuto quel delitto, dopo aver voltato i cavalli fuggirono verso il castello del loro signore, più in fretta che poterono. Il Rossiglione, sceso da cavallo, aprì il petto del Guardastagno con un coltello e con le sue mani ne prese il cuore; quindi lo fece avvolgere nella banderuola della lancia e ordinò a uno dei servi di portarlo con sé; dopo aver detto a tutti di non osare far parola di quanto avevano visto, risalì a cavallo e se ne tornò al castello, dato che era già notte.

La donna, che aveva sentito che il Guardastagno avrebbe dovuto essere presente a cena e che lo aspettava con grandissimo desiderio, non vedendolo arrivare si meravigliò molto e disse al marito: «Signore, come mai il Guardastagno non è venuto?»
Al che il marito disse: «Donna, lui mi ha mandato a dire che non può venire fino a domani», per cui la donna rimase un po' turbata.
Sceso da cavallo, il Rossiglione mandò a chiamare il cuoco e gli disse: «Prendi quel cuore di cinghiale e con quello prepara la vivanda più buona

[18] Il colloquio avviene davanti al castello, dove la donna stava aspettando l'amante con impazienza.

[19] Nota la particolare attenzione che il Boccaccio pone nel dare rapidi e incisivi accenni sullo stato d'animo della donna.

[20] Il diminutivo aggiunge ferocia al compiacimento del Rossiglione.

migliore e la più dilettevole a mangiar che tu sai; e quando a tavola sarò, me la manda in una scodella d'argento.[21]» Il cuoco, presolo e postavi tutta l'arte e tutta la sollecitudine sua, minuzzatolo e messevi di buone spezie assai,[22] ne fece un manicaretto troppo buono.

Messer Guiglielmo, quando tempo fu, con la sua donna si mise a tavola. La vivanda venne, ma egli, per lo maleficio da lui commesso nel pensiero impedito, poco mangiò.[23] Il cuoco gli mandò il manicaretto, il quale egli fece porre davanti alla donna, sé mostrando quella sera svogliato, e lodogliele[24] molto. La donna, che svogliata non era, ne cominciò a mangiare e parvele buono; per la qual cosa ella il mangiò tutto. Come il cavaliere ebbe veduto che la donna tutto l'ebbe mangiato, disse: «Donna, chente v'è paruta questa vivanda?»
La donna rispose: «Monsignore, in buona fé ella m'è piaciuta molto.»
«Se[25] m'aiti Idio» disse il cavaliere «io il vi credo, né me ne maraviglio se morto v'è piaciuto ciò che vivo più che altra cosa vi piacque.»
La donna, udito questo, alquanto stette; poi disse: «Come? che cosa è questa che voi m'avete fatta mangiare?»
Il cavalier rispose: «Quello che voi avete mangiato è stato veramente il cuore di messer Guiglielmo Guardastagno, il qual voi come disleal femina tanto amavate; e sappiate di certo che egli è stato desso, per ciò che io con queste mani gliele strappai, poco avanti che io tornassi, del petto.»
La donna, udendo questo di colui cui ella più che altra cosa amava, se dolorosa fu non è da dimandare; e dopo alquanto[26] disse: «Voi faceste quello che disleale e malvagio cavalier dee fare; ché se io, non isforzandomi egli, l'avea del mio amor fatto signore e voi in questo ol-

21 Il particolare del piatto d'argento mette in evidenza il cinismo e la freddezza intellettuale del Rossiglione, e volge le simpatie del lettore verso la donna, più umana.

22 Anche questo particolare della inconsapevole cura che il cuoco mette nel preparare la pietanza, lascia emergere la malvagità d'animo del Rossiglione.

23 Inizia adesso, in questa indisposizione a mangiare, il len-

e appetitosa che tu possa fare; e quando sarò a tavola, mandamela in un piatto d'argento.» Il cuoco lo prese e si impegnò alla sua preparazione con tutta l'abilità e l'accortezza di cui era capace, lo tagliò a pezzetti e dopo averlo abbondantemente speziato ne fece un piatto prelibato, veramente squisito.

Messer Guglielmo, quando giunse il momento, si mise a tavola con la sua donna. Fu portato da mangiare ma egli, turbato nella mente dal delitto commesso, mangiò poco. Il cuoco gli mandò il cuore cucinato con grande arte, e lui lo fece mettere davanti alla donna, mostrandosi per quella sera indisposto e facendone grandi lodi. La donna, che non era indisposta, cominciò a mangiarlo e le sembrò buono; così lo mangiò tutto.

Appena il cavaliere vide che la donna l'aveva mangiato tutto, disse: «Donna, come vi è sembrata questa vivanda?»

La donna rispose: «Mio signore, in verità mi è piaciuta molto.»

«Mi aiuti Iddio» disse il cavaliere «io vi credo, e non mi meraviglio se vi è piaciuto da morto ciò che da vivo vi era piaciuto più di ogni altra cosa.»

La donna, sentite queste parole, rimase in silenzio a lungo, poi disse: «Come? Cosa mi avete fatto mangiare?»

Il cavaliere rispose: «In realtà quello che avete mangiato era il cuore di messer Guglielmo Guardastagno, che voi da donna infedele tanto amavate; e sappiate che il cuore era proprio il suo, perché io gliel'ho strappato dal petto proprio con queste mani, poco prima di tornare.»

È inutile domandare se la donna, sentendo dire ciò a proposito dell'uomo che amava più di ogni altra cosa, provasse dolore; e dopo un po' di tempo disse: «Voi avete fatto quello che solo un cavaliere malvagio e sleale può fare; in quanto se io, senza che lui mi forzasse a ciò, gli ho dato il

to tormento del Rossiglione, da questo momento sempre più forte.

24 *Gliele* sta per *glielo.*

25 Il *se* qui ha un valore di augurio.

26 In questa breve pausa la donna matura la sua terribile decisione. Il Boccaccio non si sofferma ad analizzare lo stato d'animo della poveretta, né accenna al suo conflitto interiore.

27 La donna non prova orrore, bensì orgoglio e sdegno per la malvagità del marito.

28 Nota l'uso sottile del verbo: la donna si lascia cadere, e non si getta, dalla finestra. Il gesto pare quasi un atto di rassegnazione al proprio destino.

traggiato, non egli ma io ne doveva la pena portare. Ma unque a Dio non piaccia che sopra a così nobil vivanda, come è stata quella del cuore d'un così valoroso e così cortese cavaliere come messer Guiglielmo Guardastagno fu, mai altra vivanda vada !27»

E levata in piè, per una finestra, la quale dietro a lei era, indietro senza altra diliberazione si lasciò cadere.28 La finestra era molto alta da terra, per che, come la donna cadde, non solamente morì ma quasi tutta si disfece. Messer Guiglielmo, vedendo questo, stordì forte e parvegli aver mal fatto; e temendo egli de' paesani e del conte di Proenza,29 fatti sellare i cavalli, andò via.

La mattina seguente fu saputo per tutta la contrata come questa cosa era stata: per che da quegli del castello di messer Guiglielmo Guardastagno e da quegli ancora del castello della donna, con grandissimo dolore e pianto, furono i due corpi ricolti e nella chiesa del castello medesimo della donna in una medesima sepoltura30 fur posti, e sopr'essa scritti versi significanti chi fosser quegli che dentro sepolti v'erano, e il modo e la cagione della lor morte.—

mio amore e così facendo vi ho oltraggiato, non lui ma io dovevo essere punita. Mai voglia Dio che un'altra vivanda vada sopra una vivanda così nobile come il cuore di un cavaliere così coraggioso e cortese come fu messer Guglielmo Guardastagno!»

E, alzatasi, senza pensare altro si lasciò cadere da una finestra che era dietro di lei. La finestra era molto alta da terra, per cui subito dopo la caduta la donna non solo morì ma si sfigurò quasi completamente. Messer Guglielmo, al vedere ciò, rimase sconvolto e si rese conto di avere agito male; temendo poi la reazione degli abitanti del paese e del Conte di Provenza, fatti sellare i cavalli fuggì.

La mattina seguente tutto il vicinato seppe come erano andate le cose; così quelli del castello di messer Guglielmo Guardastagno e quelli del castello della donna, con grandissimo dolore e pianto, raccolsero i due corpi che furono messi in un medesimo sepolcro nella chiesa del castello della donna, sepolcro su cui furono scritti dei versi che spiegavano chi fossero coloro che vi erano sepolti, il modo e la causa della loro fine. —

29 Il Signore di quella regione.

30 L'oltretomba nel Boccaccio spesso allude ad una continuazione dell'amore terreno.

La cacciata dei Guelfi da Firenze (miniatura dalla *Cronica* di G. Villani).

IL GRANDE AMORE DI NASTAGIO DEGLI ONESTI

GIORNATA QUINTA, NOVELLA OTTAVA

In questa novella Boccaccio presenta una delle leggende più note del Medio Evo, la leggenda degli amanti dannati, colpevoli di aver ceduto all'istinto della carne, alla passione. Ma qui la morale è invertita: la donna è punita non per aver amato, ma per essersi rifiutata di amare, e per aver goduto delle sofferenze dell'uomo.
Assieme al tema dell'amore, compare quello dell'ideale di vita cortese, incarnato in Nastagio, colui che per avere l'amore di una fanciulla non pone limiti alla generosità e alla grandezza del suo animo.

1 La famiglia è storicamente esistita, ma non si hanno notizie di un Nastagio né di un Anastasio.

2 I Traversari, come ricorda anche Dante nel canto XIV del *Purgatorio* (Federico Tignoso e la sua brigata, /la casa Traversara e li Anastagi/ e l'una gente e l'altra è diretata,/ le donne e ' cavalier, li affanni e li agi/ che ne 'nvogliava amore e cortesia/ là dove i cuor

Nastagio degli Onesti,[1] amando una de' Traversari,[2] spende le sue ricchezze senza essere amato, vassene pregato da' suoi a Chiassi;[3] quivi vede cacciare a un cavaliere una giovane e ucciderla e divorarla da due cani; invita i parenti suoi e quella donna amata da lui a un desinare, la quale vede questa medesima giovane sbranare e temendo di simile avvenimento prende per marito Nastagio.

Come la Lauretta[4] si tacque, così per comandamento della reina[5] cominciò Filomena:[6]
— Amabili donne, come in noi è la pietà commendata, così ancora in noi è dalla divina giustizia rigidamente la crudeltà vendicata: il che acciò che io vi dimostri e materia vi dea di cacciarla del tutto da voi, mi piace di dirvi una novella non meno di compassion piena che dilettevole.
In Ravenna, antichissima città di Romagna, furon già assai nobili e gentili uomini, tra' quali un giovane chiamato Nastagio degli Onesti, per la morte del padre di lui e d'un suo zio, senza

E, infine, ritroviamo qui anche il tema dell'ingegno umano, dell'intelligenza, motivi che ricorrono spesso nel Decamerone. Boccaccio non nasconde la propria ammirazione per gli uomini che riescono a risolvere le situazioni più difficili con guizzi di ingegno, gli uomini che confidano soprattutto su se stessi, sulle proprie forze. E in questa novella Nastagio come in un lampo di intelligenza riesce a percepire che la caccia infernale può essere il mezzo più opportuno per ottenere l'amore della fanciulla.

Nastagio degli Onesti, amando una giovane della famiglia Traversari, spende per lei le proprie ricchezze senza essere amato; pregato dai suoi, va a Classe; qui vede una giovane inseguita da un cavaliere, uccisa e <u>divorata da due</u> cani; invita a un banchetto i suoi parenti e la donna amata, la quale vede sbranare la stessa giovane e temendo una simile eventualità sposa Nastagio.

Appena Lauretta ebbe finito di parlare, su ordine della regina cominciò Filomena:
— *Amabili donne, come la pietà nel nostro animo è lodata, così anche la crudeltà è severamente punita dalla giustizia divina; per dimostrarvelo e darvi così motivo di allontanarla da voi, voglio raccontarvi una novella tanto piena di compassione quanto piacevole.*
A Ravenna, antichissima città della Romagna, vissero uomini di grande nobiltà e ricchezza, e tra questi un giovane chiamato Nastagio degli Onesti che, in seguito alla morte del padre e di

son fatti sì malvagi./ 106-111), furono tra le famiglie più illustri della Romagna.

3 Località della Romagna vicino al mare, presso una splendida pineta. È ricordata anche da Dante nel canto XXVIII del *Purgatorio* (tal qual di ramo in ramo si raccoglie / per la pineta in su 'l lito di Chiassi, / quand'Eolo scilocco fuor discioglie. / 19-21).

4 La giovane che ha raccontato la novella precedente.

5 La regina della quinta giornata è Fiammetta; le novelle della giornata trattano di amori travagliati che però si concludono felicemente.

6 La giovane che racconterà questa novella.

7 Questo insistere di Nastagio nelle gentilezze, questo spendere senza misura per la fanciulla amata, è uno dei tratti più caratteristici della cortesia medievale.

stima rimase ricchissimo. Il quale, sì come de' giovani avviene, essendo senza moglie s'innamorò d'una figliuola di messer Paolo Traversaro, giovane troppo più nobile che esso non era, prendendo speranza con le sue opere di doverla trarre a amar lui.[7] Le quali, quantunque grandissime, belle e laudevoli fossero, non solamente non gli giovavano, anzi pareva che gli nocessero, tanto cruda e dura e salvatica[8] gli si mostrava la giovinetta amata, forse per la sua singular bellezza o per la sua nobiltà sì altiera e disdegnosa divenuta, che né egli né cosa che gli piacesse le piaceva.[9] La qual cosa era tanto a Nastagio gravosa a comportare, che per dolore più volte dopo essersi doluto gli venne in disidero d'uccidersi; poi, pur tenendosene, molte volte si mise in cuore di doverla del tutto lasciare stare, o se potesse d'averla in odio come ella aveva lui. Ma invano tal proponimento prendeva, per ciò che pareva che quanto più la speranza mancava, tanto più multiplicasse il suo amore.

Perseverando adunque il giovane e nello amare e nello spendere smisuratamente, parve a certi suoi amici e parenti che egli sé e 'l suo avere parimente fosse per consumare; per la qual cosa più volte il pregarono e consigliarono che si dovesse di Ravenna partire e in alcuno altro luogo per alquanto tempo andare a dimorare, per ciò che, così faccendo, scemerebbe l'amore e le spese. Di questo consiglio più volte fece beffe Nastagio; ma pure, essendo da loro sollecitato, non potendo tanto dir di no,[10] disse di farlo; e fatto fare un grande apparecchiamento,[11] come se in Francia o in Ispagna o in alcuno altro luogo lontano andar volesse, montato a cavallo e da' suoi molti amici accompagnato di Ravenna uscì e andossen a un luogo fuor di Ravenna forse tre miglia, che si chiama Chiassi; e quivi fatti venir padiglioni e trabacche, disse a color che accompagnato l'aveano che starsi volea e che

uno zio, si trovò ricco oltre ogni misura. Come succede ai giovani, non essendo sposato egli si innamorò di una figlia di messer Paolo Traversaro, una giovane molto più nobile di lui, e sperava con atti di cortesia di indurla ad amarlo. Ma tali atti, pur se grandiosi, belli e lodevoli, non solo non gli giovavano, ma sembrava che gli nuocessero, tanto crudele e dura e ritrosa gli appariva la giovane amata, forse divenuta così altezzosa e superba a causa della sua bellezza straordinaria o forse a causa della sua nobiltà, al punto che non le piaceva né lui né ciò che a lui piaceva. Questo per Nastagio era così difficile da sopportare, che per dolore più di una volta dopo il dispiacere sentì il desiderio di uccidersi; poi, trattenendosi dal farlo, molte volte si impose di lasciarla perdere, o magari di odiarla proprio come lei odiava lui. Ma inutilmente prendeva questo proposito, perché sembrava che più la speranza diminuiva e più il suo amore cresceva.

Siccome il giovane insisteva ad amare e a spendere senza misura, ad alcuni suoi amici e parenti parve che egli fosse sul punto di rovinare se stesso e consumare le sue sostanze; perciò più volte lo pregarono e gli consigliarono di lasciare Ravenna e andare ad abitare altrove per un po' di tempo, così da far diminuire l'amore e le spese. Nastagio più volte rise di questo consiglio; comunque, da loro sollecitato, non potendo continuare a lungo a dire di no, disse che l'avrebbe fatto; e dopo grandi preparativi, come se volesse andare in Francia o in Spagna o in qualche altro luogo lontano, salì a cavallo e, accompagnato dai suoi molti amici, uscì da Ravenna e andò in una località detta Classe, distante circa tre miglia da Ravenna; quindi, fatte portare tende di varia foggia e grandezza, disse a quelli che lo avevano accompagnato che voleva fermarsi e li invitò a tornare a Ravenna. Così Nastagio, ac-

8 Il Boccaccio insiste per tutto il racconto sulla crudeltà d'animo della donna.

9 La frase, con cui il Boccaccio riassume la sdegnosità della donna, ha quasi forma di proverbio.

10 Sarebbe stato un atto scortese, dinanzi alla grande attenzione e cura che i parenti avevano dimostrato nei suoi confronti.

11 La parola, solitamente usata per spedizioni militari e guerre, sta a indicare la grandiosità dei preparativi.

[12] Nota la bellezza di questo periodo, le immagini dei preparativi, della cavalcata dei giovani, della preparazione dell'accampamento, del signorile convitare di Nastagio. Traspare la simpatia del Boccaccio per questo giovane tanto cortese e generoso.

[13] Nella letteratura medievale maggio, e in generale la primavera, erano le stagioni classiche delle visioni amorose.

[14] Nastagio entra nella pineta come in uno stato di inco-

essi a Ravenna se ne tornassono. Attendatosi adunque quivi Nastagio cominciò a fare la più bella vita e la più magnifica che mai si facesse, or questi e or quegli altri invitando a cena e a desinare, come usato s'era.[12]

Ora avvenne che, venendo quasi all'entrata di maggio,[13] essendo un bellissimo tempo e egli entrato in pensiero della sua crudel donna, comandato a tutta la sua famiglia che solo il lasciassero per più poter pensare a suo piacere, piede innanzi piè se medesimo trasportò pensando infino nella pigneta.[14] E essendo già passata presso che la quinta ora del giorno[15] e esso bene un mezzo miglio per la pigneta entrato, non ricordandosi di mangiare né d'altra cosa,[16] subitamente gli parve udire un grandissimo pianto e guai altissimi messi da una donna; per che, rotto il suo dolce pensiero, alzò il capo per veder che fosse e maravigliossi nella pigneta veggendosi. E oltre a ciò, davanti guardandosi, vide venire per un boschetto assai folto d'albuscelli e di pruni, correndo verso il luogo dove egli era, una bellissima giovane ignuda, scapigliata e tutta graffiata dalle frasche e da' pruni, piagnendo e gridando forte mercé; e oltre a questo le vide a' fianchi due grandi e fieri mastini, li quali duramente appresso correndole spesse volte crudelmente dove la giugnevano la mordevano; e dietro a lei vide venire sopra un corsier nero un cavalier bruno, forte nel viso crucciato, con uno stocco in mano, lei di morte con parole spaventevoli e villane minacciando.[17] Questa cosa a un'ora maraviglia e spavento gli mise nell'animo e ultimamente compassione della sventurata donna, dalla qual nacque disidero di liberarla da sì fatta angoscia e morte, se el potesse. Ma senza arme trovandosi, ricorse a prendere un ramo d'albero in luogo di bastone e cominciò a farsi incontro a' cani e contro al cavaliere.

Ma il cavaliere che questo vide gli gridò di lon-

campatosi, cominciò a condurre una vita magnifica e degna di un vero signore, invitando a pranzo e a cena ora questi ora quegli altri, come era solito fare.

Quasi all'inizio di maggio, siccome era un tempo magnifico e gli era tornata in mente la crudele donna amata, dopo avere ordinato alla servitù di lasciarlo solo per poter pensare più liberamente, Nastagio, passo dopo passo, tutto assorto nei suoi pensieri, giunse fino alla pineta. Erano già passate le undici del mattino ed egli si era addentrato nella pineta per più di mezzo miglio, dimenticandosi di mangiare e di ogni altra cosa; improvvisamente gli sembrò di sentire un pianto grandissimo e grida altissime emesse da una donna, per cui, interrotte le sue meditazioni, alzò la testa per vedere chi fosse e si meravigliò di trovarsi nella pineta. Oltre a ciò, guardando avanti, vide correre verso di lui, da un foltissimo boschetto di arbusti e rovi, una bellissima giovane nuda, spettinata e tutta graffiata dalle frasche e dai rovi, che piangeva e gridava perdono; e vide anche due grandi e feroci mastini che le stavano ai fianchi, e la inseguivano rabbiosamente e spesso dove riuscivano a raggiungerla la mordevano; e dietro di lei vide venire su un cavallo nero un cavaliere vestito di nero, dal volto adirato, con una spada in mano, che la minacciava di morte con parole spaventose e ignobili. Al vedere ciò, Nastagio provò meraviglia e paura nello stesso tempo e poi compassione per la sfortunata donna, che gli fece sorgere il desiderio di liberarla da quella angoscia e da quella morte, se avesse potuto. E siccome era disarmato, si adattò a prendere un ramo d'albero al posto di un bastone e cominciò ad andare incontro ai cani e contro il cavaliere.

Ma il cavaliere vide tutto questo e gli gridò da

scienza, come in sogno. E si ritroverà all'improvviso immerso nella visione della caccia.

[15] A partire dalle sei.

[16] Nastagio è ancora immerso in un'atmosfera irreale, di sogno.

[17] Osserva la chiarezza dell'immagine, dei suoi particolari, in forte contrasto con l'atmosfera di sogno che caratterizzava il cammino del giovane.

18 Un'altra nobile famiglia di Ravenna (vedi la nota 2).

19 La forma *Ninferno* è ancora oggi diffusa in alcuni dialetti parlati in Italia.

20 Nota la corrispondenza tra la colpa e la pena. È il cosiddetto contrappasso, quale si ritrova più volte nell'*Inferno* di Dante.

tano: «Nastagio, non t'impacciare, lascia fare a' cani e a me quello che questa malvagia femina ha meritato.»

E così dicendo, i cani, presa forte la giovane ne' fianchi, la fermarono, e il cavaliere sopragiunto smontò da cavallo; al quale Nastagio avvicinatosi disse: «Io non so chi tu ti se' che me così cognosci, ma tanto ti dico che gran viltà è d'un cavaliere armato volere uccidere una femina ignuda e averle i cani alle coste messi come se ella fosse una fiera salvatica: io per certo la difenderò quant'io potrò.»

Il cavaliere allora disse: «Nastagio, io fui d'una medesima terra teco, e eri tu ancora piccol fanciullo quando io, il quale fui chiamato messer Guido degli Anastagi,[18] era troppo più innamorato di costei che tu ora non se' di quella de' Traversari; e per la sua fierezza e crudeltà andò sì la mia sciagura, che io un dì con questo stocco, il quale tu mi vedi in mano, come disperato m'uccisi, e sono alle pene eternali dannato.Né stette poi guari tempo che costei, la qual della mia morte fu lieta oltre misura, morì, e per lo peccato della sua crudeltà e della letizia avuta de' miei tormenti, non pentendosene, come colei che non credeva in ciò aver peccato ma meritato, similmente fu e è dannata alle pene del Ninferno.[19] Nel quale come ella discese, così ne fu e a lei e a me per pena dato, a lei di fuggirmi davanti e a me, che già cotanto l'amai, di seguitarla come mortal nemica,[20] non come amata donna; e quante volte io la giungo, tante con questo stocco, col quale io uccisi me, uccido lei e aprola per ischiena,[21] e quel cuor[22] duro e freddo, nel qual mai né amor né pietà poterono entrare, con l'altre interiora insieme, sì come tu vedrai incontanente, le caccio di corpo e dolle mangiare a questi cani. Né sta poi grande spazio che ella, sì come la giustizia e la potenzia di Dio vuole, come se morta non fosse stata, risur-

lontano: «Nastagio, non ti impicciare, lascia che i cani ed io facciamo quello che questa donna malvagia ha meritato.»

E mentre lui diceva così i cani, presa saldamente la giovane ai fianchi, la fermarono, e il cavaliere, sopraggiunto, scese da cavallo; Nastagio si avvicinò a lui e gli disse: «Io non so chi sei tu che così mi conosci, ma ugualmente ti dico che è una viltà per un cavaliere armato volere uccidere una donna nuda e averle messo i cani alle costole come se fosse una bestia selvaggia: io certamente la difenderò fin che potrò.»

Allora il cavaliere disse: «Nastagio, io fui tuo concittadino, e tu eri ancora un bambino quando io, che ero chiamato messer Guido degli Anastagi, ero innamorato di questa donna, molto più di quanto tu ora lo sia di quella giovane dei Traversari; e per la sua fierezza e crudeltà il mio triste destino così andò, che io un giorno con questa spada che adesso mi vedi in mano mi uccisi come un disperato, e sono condannato alle pene eterne. Non passò poi molto tempo che questa giovane, che era stata contenta oltre ogni misura della mia morte, morì, e per il peccato della sua crudeltà e della gioia provata ai miei tormenti, non volendosi pentire, credendo non di avere commesso peccato ma anzi di aver meritato un premio, allo stesso modo fu e ancora è dannata alle pene dell'Inferno. Appena vi scese, ci fu dato come pena a lei di fuggirmi davanti e a me, che tanto l'avevo amata, di inseguirla come una nemica mortale, e non come una donna amata; e ogni volta che la raggiungo, con questa spada, con la quale mi uccisi, uccido lei e la apro per il dorso, e le strappo dal corpo quel cuore duro e freddo in cui non entrarono mai né amore né pietà, e lo do a mangiare insieme con le altre interiora a questi cani, come vedrai subito. Non passa poi molto tempo che lei, così come vuole la giustizia e la potenza di Dio, risorge come se

21 Guido esegue la giustizia di Dio senza pietà, eppure nelle sue parole traspare lo sgomento per la donna e per se stesso, condannato a straziare quel corpo una volta tanto amato.

22 Nota l'attenzione fissata sul cuore, quel cuore duro e freddo responsabile di tanta tragedia.

23 Il raddoppiamento della consonante deriva da *fuggire*.

24 Guido ha il compito di fare giustizia, è senza pietà, eppure dalle sue parole emerge un senso di pena, per la sorte della donna e anche per la sua stessa sorte.

25 L'attenzione è concentrata sul cuore; le altre interiora sono di secondaria importanza, quasi dimenticate, come puoi osservare dall'uso di questo e del seguente pronome *il*.

26 Il motivo della caccia infernale, cioè degli amanti perseguitati nell'oltretomba per il loro amore disonesto, ri-

ge e da capo incomincia la dolorosa fugga,23 e i cani e io a seguitarla. E avviene che ogni venerdì in su questa ora io la giungo qui e qui ne fo lo strazio che vederai; e gli altri dì non credere che noi riposiamo, ma giungola in altri luoghi ne' quali ella crudelmente contro a me pensò o operò; e essendole d'amante divenuto nemico, come tu vedi, me la conviene in questa guisa tanti anni seguitar quanti mesi ella fu contro a me crudele.

Adunque lasciami la divina giustizia mandare a essecuzione, né ti volere opporre a quello a che tu non potresti contrastare.24»

Nastagio, udendo queste parole, tutto timido divenuto e quasi non avendo pelo addosso che arricciato non fosse, tirandosi adietro e riguardando alla misera giovane, cominciò pauroso a aspettare quello che facesse il cavaliere; il quale, finito il suo ragionare, a guisa d'un cane rabbioso con lo stocco in mano corse addosso alla giovane, la quale inginocchiata e da' due mastini tenuta forte gli gridava mercé, e a quella con tutta sua forza diede per mezzo il petto e passolla dall'altra parte. Il qual colpo come la giovane ebbe ricevuto, così cadde boccone sempre piagnendo e gridando: e il cavaliere, messo mano a un coltello, quella aprì nelle reni, e fuori trattone il cuore e ogni altra cosa da torno, a' due mastini il25 gittò, li quali affamatissimi incontanente il mangiarono. Né stette guari che la giovane, quasi niuna di queste cose stata fosse, subitamente si levò in piè e cominciò a fuggire verso il mare, e i cani appresso di lei sempre lacerandola: e il cavaliere, rimontato a cavallo e ripreso il suo stocco, la cominciò a seguitare, e in picciola ora si dileguarono in maniera che più Nastagio non gli poté vedere.26

Il quale, avendo queste cose vedute, gran pezza stette tra pietoso e pauroso:27 e dopo alquanto gli venne nella mente questa cosa dovergli mol-

non fosse mai morta e ricomincia da capo la fuga dolorosa, ed io e i cani ricominciamo ad inseguirla. E accade che ogni venerdì verso quest'ora io la raggiungo qui e qui ne faccio lo strazio che vedrai; e non pensare che gli altri giorni noi riposiamo, perché la raggiungo in altri luoghi nei quali lei fece e pensò crudelmente contro di me; e siccome le sono diventato nemico da amante qual ero, come vedi mi tocca inseguirla in questo modo, per tanti anni quanti furono i mesi che lei fu crudele contro di me.

Dunque lascia che io esegua la giustizia divina, e non opporti a ciò che non potresti impedire.»

Nastagio, sentendo queste parole, intimidito e con quasi tutti i peli ritti, indietreggiando e guardando la sfortunata giovane, cominciò impaurito ad aspettare quello che il cavaliere avrebbe fatto; questi, finito di parlare, come un cane feroce corse con la spada in mano addosso alla giovane che, inginocchiata e tenuta ferma dai due mastini, gridando gli chiedeva perdono, e con tutta la sua forza la colpì in mezzo al petto e la trapassò da parte a parte. Appena la giovane ebbe ricevuto il colpo, cadde con la faccia a terra sempre piangendo e gridando: e il cavaliere, preso un coltello, la aprì alle reni e, dopo aver estratto il cuore e quello che gli stava intorno, gettò tutto ai due mastini, che mangiarono subito con voracità. Non passò molto tempo e la giovane, come se nulla di ciò fosse accaduto, improvvisamente si alzò e cominciò a fuggire verso la spiaggia, e i cani dietro di lei sempre a ferirla: il cavaliere, risalito a cavallo e ripresa la sua spada, cominciò ad inseguirla, e in breve si allontanarono, tanto che Nastagio non riuscì più a vederli.

Dopo aver visto tutto ciò, Nastagio rimase a lungo impietosito e spaventato: ma più tardi gli venne in mente che questo gli poteva essere di grande

corre spesso nella letteratura religiosa medievale. Molto probabilmente il Boccaccio ha derivato la scena della caccia dallo *Speculum historiale* di Vincenzo di Beauvais. Il Boccaccio però opera un capovolgimento ideologico rispetto alle fonti: lì la donna è punita perché ha ceduto alla passione, mentre in questa novella è punita perché si è dimostrata insensibile nei confronti di colui che la amava.

[27] La scena della caccia scompare molto rapidamente, e il bosco ritorna ad essere deserto e silenzioso, lasciando improvvisamente Nastagio di nuovo solo.

to poter valere, poi che ogni venerdì avvenia; per che, segnato il luogo, a' suoi famigliari se ne tornò, e appresso, quando gli parve, mandato per più suoi parenti e amici, disse loro: «Voi m'avete lungo tempo stimolato che io d'amare questa mia nemica mi rimanga e ponga fine al mio spendere, e io son presto di farlo dove voi una grazia m'impetriate, la quale è questa: che venerdì che viene voi facciate sì che messer Paolo Traversari e la moglie e la figliuola e tutte le donne lor parenti, e altre chi vi piacerà, qui sieno a desinar meco. Quello per che io questo voglia, voi il vedrete allora.»

A costor parve questa assai piccola cosa a dover fare; e a Ravenna tornati, quando tempo fu, coloro invitarono li quali Nastagio voleva, e come che dura cosa fosse il potervi menare la giovane da Nastagio amata, pur v'andò con l'altre insieme. Nastagio fece magnificamente apprestar da mangiare e fece le tavole mettere sotto i pini dintorno a quel luogo dove veduto aveva lo strazio della crudel donna; e fatti metter gli uomini e le donne a tavola, sì ordinò, che appunto la giovane amata da lui fu posta a seder di rimpetto al luogo dove doveva il fatto intervenire.

Essendo adunque già venuta l'ultima vivanda,[28] e il romor disperato della cacciata giovane da tutti fu cominciato a udire. Di che maravigliandosi forte ciascuno e domandando che ciò fosse e niuno sappiendol dire, levatisi tutti diritti e riguardando che ciò potesse essere, videro la dolente giovane e 'l cavaliere e' cani; né guari stette che essi tutti furon quivi tra loro. Il romore fu fatto grande e a' cani e al cavaliere, e molti per aiutare la giovane si fecero innanzi; ma il cavaliere, parlando loro come a Nastagio aveva parlato, non solamente gli fece indietro tirare ma tutti gli spaventò e riempié di maraviglia; e faccendo quello che altra volta aveva

*aiuto, visto che succedeva ogni venerdì; per cui,
dopo aver lasciato dei segni per poter riconoscere
il luogo, ritornò dai suoi servi e al momento più
opportuno, mandati a chiamare vari parenti e
amici, gli disse: «Voi per molto tempo mi avete
pregato di smettere di amare questa mia nemica e
di mettere fine alle mie spese, ed io adesso sono
pronto a farlo purché voi mi facciate un favore:
dovete fare in modo che venerdì prossimo messer
Paolo Traversari con la moglie, la figlia e tutte le
donne che sono loro parenti, e qualunque altra vi
piacerà, vengano a mangiare con me. Il motivo
per cui io voglio questo lo saprete allora.»*

*Ai parenti e agli amici questa sembrò una cosa
molto semplice da fare; così, tornati a Ravenna,
quando venne il momento invitarono quelli che
Nastagio voleva, e benché fosse cosa difficile
convincere la giovane da lui amata, ugualmente
lei ci andò insieme alle altre donne. Nastagio fece preparare da mangiare in modo magnifico e
fece mettere i tavoli sotto i pini, vicino al luogo
dove aveva visto lo strazio della donna crudele;
e fatti accomodare a tavola gli uomini e le donne, ordinò che la giovane da lui amata fosse fatta accomodare davanti al luogo dove il fatto sarebbe dovuto accadere.*

*Proprio quando fu il momento dell'ultima
portata, tutti sentirono il rumore disperato della
giovane a cui si dava la caccia. Tutti si meravi-
gliarono molto e domandarono che cosa fosse
ma nessuno seppe rispondere, così tutti si alza-
rono e nel tentativo di scoprire ciò che potesse
essere, videro la giovane infelice e il cavaliere e i
cani; e in poco tempo questi si trovarono vicini a
loro. Si gridò forte sia ai cani che al cavaliere, e
molti si fecero avanti per aiutare la giovane; ma
il cavaliere, parlando a loro così come aveva parlato a Nastagio, non solo li fece indietreggiare
ma li spaventò e li riempì di stupore tutti quanti; e facendo ciò che aveva fatto l'altra volta, tut-*

29 Anche per i propositi suicidi del giovane Nastagio.

30 Nota l'umorismo con cui il Boccaccio descrive la paura della figlia di messer Paolo Traversari.

31 Adesso la superbia della ragazza è scomparsa e lei cederebbe ai piaceri di Nastagio senza con-

fatto, quante donne v'aveva (ché ve ne aveva assai che parenti erano state e della dolente giovane e del cavaliere e che si ricordavano dell'amore e della morte di lui) tutte così miseramente piagnevano come se a se medesime, quello avesser veduto fare. La qual cosa al suo termine fornita, e andata via la donna e 'l cavaliere, mise costoro che ciò veduto aveano in molti e varii ragionamenti. Ma tra gli altri che più di spavento ebbero, fu la crudel giovane da Nastagio amata, la quale ogni cosa distintamente veduta avea e udita e conosciuto che a sé più che a altra persona che vi fosse queste cose toccavano,[29] ricordandosi della crudeltà sempre da lei usata verso Nastagio; per che già le parea fuggire dinanzi da lui adirato e avere i mastini a' fianchi.[30]

E tanta fu la paura che di questo le nacque, che, acciò che questo a lei non avvenisse, prima tempo non si vide, il quale quella medesima sera prestato le fu, che ella, avendo l'odio in amor tramutato, una sua fida cameriera segretamente a Nastagio mandò, la quale da parte di lei il pregò che gli dovesse piacere d'andare a lei, per ciò che ella era presta di far tutto ciò che fosse piacer di lui.[31] Alla qual Nastagio fece rispondere che questo gli era a grado molto, ma che, dove le piacesse, con onor di lei voleva il suo piacere, e questo era sposandola per moglie.[32] La giovane, la qual sapeva che da altrui che da lei rimaso non era che moglie di Nastagio stata non fosse, gli fece risponder che le piacea. Per che, essendo ella medesima la messaggera, al padre e alla madre disse che era contenta d'essere sposa di Nastagio, di che essi furon contenti molto.

E la domenica seguente Nastagio sposatala e fatte le sue nozze, con lei più tempo lietamente visse. E non fu questa paura cagione solamente di questo bene, anzi sì tutte le ravignane

te le donne presenti (poiché molte di loro erano state parenti della giovane infelice e del cavaliere e si ricordavano dell'amore e della morte di lui) si misero a piangere per la pietà come se avessero visto fare ciò a se stesse. Questo episodio, una volta giunto al termine, dopo che la donna e il cavaliere se ne erano andati, dette da pensare in molti e differenti modi a tutti coloro che l'avevano visto. Ma tra quelli che più si spaventarono vi fu la crudele giovane amata da Nastagio, che aveva visto e sentito tutto in modo chiaro e aveva capito che a sé più che ad altra persona lì presente quelle cose si riferivano, poiché si ricordava della crudeltà da lei sempre mostrata nei confronti di Nastagio; per questo già si immaginava di fuggire davanti a lui tutto adirato e di avere i mastini ai fianchi.

E tanta fu la paura avuta a causa di questo episodio che, affinché questo non avvenisse a lei, non appena le si presentò l'opportunità, e fu quella sera stessa, avendo convertito l'odio in amore, mandò in segreto da Nastagio una sua serva fidata, la quale lo pregò da parte sua di andare da lei, perché era pronta a fare tutto quello che a lui piaceva. A tali parole Nastagio fece rispondere che questo gli faceva molto piacere ma che, se a lei andava bene, voleva soddisfare il suo amore con onore di lei, cioè prendendola per moglie. La giovane sapeva che se non aveva sposato Nastagio ciò era dipeso solo da lei, così gli fece rispondere che era d'accordo. Siccome lei stessa aveva fatto domanda di matrimonio, disse al padre e alla madre di essere contenta di sposare Nastagio, e di questo loro furono felici.

Così la domenica seguente Nastagio la sposò e fece le sue nozze, e per molto tempo visse felicemente con lei. E quella paura non fu la causa solamente di questo bene, anzi tutte le donne di

dizioni; lui, invece, come se le parti si fossero invertite, le ricorderà che la vuole attraverso il matrimonio.

32 È l'esempio più alto dell'ideale di cortesia perseguito da Nastagio: lui vuole soddisfare il suo amore, ma preservando l'onore della giovane amata.

33 Il finale è malizioso e divertente. L'amore e la cortesia trionfano in tutta la città di Ravenna.

donne paurose ne divennero, che sempre poi troppo più arrendevoli a' piaceri degli uomini furono che prima state non erano.[33]—

L'ANGOLO DEL CRITICO

«Non è certo possibile definire il Boccaccio come il poeta del senso o trovare nelle sue pagine sensuali il centro vitale del Decamerone. Il Boccaccio concorda certo con molti di questi personaggi sensuali e volgari, ne circonda certo i trionfi d'una simpatizzante adesione sentimentale ch'è impossibile negare, ma la stessa adesione egli concede pure a personaggi del mondo raffinato e delicato della cortesia, ad eroi di generosità e di sacrificio, a spiriti nobili e disinteressati in cui l'amore si raffina in una composta e rassegnata rinunzia o si sublima nell'esaltazione d'una morte volontaria. E quand'anche si volesse badare solo alle novelle di beffa e di sensualità, sarebbe impossibile non scorgere che, come già il Croce ha finemente notato, l'appassionamento e la simpatia del Boccaccio non vanno mai all'atto sensuale, ma all'accortezza spiegata per raggiungerlo o per evitarne i pericoli.»

Giuseppe Petronio, da *Il Decamerone*, Bari, Laterza, 1935, p. 41.

La scena cruciale della novella in una incisione d'epoca

Ravenna ne rimasero tanto colpite che da allora furono molto più arrendevoli ai piaceri degli uomini di quanto non lo fossero state prima.

Una pagina dell'edizione del *Decamerone* del 1483, conservata presso la Biblioteca dell'Accademia Nazionale dei Lincei a Roma.

CHICHIBIO E LA GRU

GIORNATA SESTA, NOVELLA QUARTA

In questa novella il cuoco Chichibio, grazie a una intelligente battuta di spirito, riesce a risolvere una situazione difficile.
Chichibio deve la sua salvezza non solo all'intervento della Fortuna, ma anche e soprattutto alla propria furbizia, alla propria capacità di sfruttare l'opportunità che gli capita.
Chichibio rappresenta l'uomo che fa affidamento sulle proprie risorse, colui che con coraggio affronta le difficoltà e proprio per questo coraggio viene aiutato dalla sorte. Boccaccio pare quasi suggerire che la Fortuna sta dalla parte degli audaci, delle persone che rischiano.

[1] Nome derivato dal verso e dal nome del fringuello, cicibìo, voce onomatopeica diffusa nel Veneto. Il nome aveva anche una funzione allusiva, come a dire 'cervello di fringuello', 'buono a nulla'.

[2] Corrado di Vanni di Cafaggio Gianfigliazzi, vissuto tra la fine del 1200 e la prima metà del 1300, apparteneva ad una famosa fami-

Chichibio[1], cuoco di Currado Gianfigliazzi[2] con una presta parola a sua salute l'ira di Currado volge in riso e sé campa dalla mala ventura minacciatagli da Currado.

Tacevasi già la Lauretta[3] e da tutti era stata sommamente commendata la Nonna,[4] quando la reina[5] a Neifile[6] impose che seguitasse; la qual disse:
— Quantunque il pronto ingegno, amorose donne, spesso parole presti e utili e belle, secondo gli accidenti, a' dicitori, la fortuna ancora, alcuna volta aiutatrice de' paurosi, sopra la lor lingua subitamente di quelle pone che mai a animo riposato per lo dicitore si sareber saputo trovare: il che io per la mia novella intendo di dimostrarvi.
Currado Gianfigliazzi, sì come ciascuna di voi e udito e veduto puote avere, sempre della nostra città è stato notabile cittadino, liberale e magnifico, e vita cavalleresca tenendo continuamente in cani e in uccelli[7] s'è dilettato, le sue opere

Su questo motivo si innesta quello altrettanto importante del conflitto tra il servo e il padrone, conflitto da cui emerge vincitore proprio il più debole, il servo, colui che più muove la simpatia del lettore. Osserva ad ogni modo che il servo si salva dalle ire del padrone anche perché questi decide in tal senso: si muove infatti a compassione verso di lui e decide di risparmiargli la vita, di non punirlo per l'onta subita.

Chichibio, cuoco di Corrado Gianfigliazzi, con una tempestiva battuta detta per salvarsi trasforma la rabbia di Corrado in una risata ed evita la sventura minacciatagli da Corrado.

Lauretta aveva già finito di parlare e la Nonna era stata molto lodata da tutti, quando la regina ordinò a Neifile di continuare; ella disse:
— *Carissime donne, come l'acuta intelligenza spesso offre ai parlanti, secondo i casi, parole utili e belle, così anche la Fortuna, che a volte aiuta i paurosi, ne mette tempestivamente sulla loro lingua tali che mai nessuno in uno stato d'animo tranquillo sarebbe capace di trovare. Con la mia novella io intendo dimostrarvi proprio questo.*
Corrado Gianfigliazzi, così come ognuna di voi può aver visto e sentito, è sempre stato un abitante rispettabile della nostra città, generoso e signorile, e si è sempre divertito conducendo una vita degna di un cavaliere, con cani e uccelli

glia di banchieri fiorentini.

3 La giovane che ha raccontato la novella precedente.

4 Monna Nonna de' Pulci, giovane protagonista della novella precedente.

5 La regina della sesta giornata è Elissa; le novelle della giornata trattano di chi con una battuta evita una perdita, un pericolo o una vergogna.

6 La giovane che racconterà questa novella.

7 L'addestramento di cani ed uccelli alla caccia era un passatempo in gran voga presso gli ambienti signorili del tempo.

8 Qui il novellatore allude alla parte che Corrado Gianfigliazzi ebbe nella vita pubblica della sua città.

9 Località a pochi chilometri da Firenze, dove i Gianfigliazzi avevano numerosi possedimenti.

10 Le gru nel Medio Evo erano molto apprezzate per la bontà della loro carne, ed erano spesso presenti nei ricettari di cucina.

11 Forma abbreviata di participio passato, usuale nella lingua del Boccaccio.

maggiori al presente lasciando stare.[8] Il quale con un suo falcone avendo un dì presso a Peretola[9] una gru ammazzata, trovandola grassa e giovane, quella mandò a un suo buon cuoco, il quale era chiamato Chichibio e era viniziano; e sì gli mandò dicendo che a cena l'arrostisse e governassela bene.[10] Chichibio, il quale come nuovo bergolo era così pareva, acconcia[11] la gru, la mise a fuoco e con sollecitudine a cuocer la cominciò. La quale essendo già presso che cotta e grandissimo odor venendone, avvenne che una feminetta della contrada, la quale Brunetta[12] era chiamata e di cui Chichibio era forte innamorato, entrò nella cucina, e sentendo l'odor della gru e veggendola pregò caramente Chichibio che ne le desse una coscia.

Chichibio le rispose cantando e disse: «Voi non l'avrì da mi,[13] donna Brunetta, voi non l'avrì da mi.[14]»

Di che donna Brunetta essendo turbata, gli disse: «In fé di Dio, se tu non la mi dai, tu non avrai mai da me cosa che ti piaccia», e in brieve le parole furon molte; alla fine Chichibio, per non crucciar la sua donna, spiccata l'una delle cosce alla gru, gliele diede.

Essendo poi davanti a Currado e a alcun suo forestiere messa la gru senza coscia, e Currado maravigliandosene, fece chiamare Chichibio e domandollo che fosse divenuta l'altra coscia della gru. Al quale il vinizian bugiardo[15] subitamente rispose: «Signor mio, le gru non hanno se non una coscia e una gamba.»

Currado allora turbato disse: «Come diavol non hanno che una coscia e una gamba? Non vid'io mai più gru che questa?[16]»

Chichibio seguitò: «Egli è, messer, com'io vi dico; e quando vi piaccia, io il vi farò veder ne' vivi.»

Currado per amore de' forestieri che seco avea non volle dietro alle parole andare, ma disse:

da caccia, senza menzionare adesso le sue attività più importanti. *Un giorno, presso Peretola, con un suo falcone egli uccise una gru, e trovandola grassa e giovane la fece portare a un suo bravo cuoco, che era chiamato Chichibio ed era veneziano; gli mandò anche a dire che l'arrostisse e la preparasse a dovere per la cena. Chichibio, che all'apparenza era un buffo chiacchierone, preparata la gru la mise sul fuoco e con sollecitudine cominciò a cuocerla. Quando la gru era quasi cotta e da essa proveniva un buonissimo odore, capitò che una ragazza della contrada che si chiamava Brunetta, di cui Chichibio era molto innamorato, entrasse nella cucina e, sentendo l'odore della gru e vedendola, pregò dolcemente Chichibio di dargliene una coscia.*
Chichibio le rispose parlando nel suo dialetto e disse: «Voi non l'avrete da me, donna Brunetta, voi non l'avrete da me.»
Al che donna Brunetta, adirata, gli disse: «In fede di Dio, se non me la date non avrete mai da me ciò che desiderate» ; in breve iniziò una discussione ed alla fine Chichibio, per non far dispiacere alla ragazza a cui teneva tanto, staccò una coscia alla gru e gliela dette.
Così la gru, senza una coscia, fu portata in tavola dinanzi a Corrado e ad alcuni ospiti; Corrado se ne meravigliò, fece chiamare Chichibio e gli domandò che cosa fosse successo dell'altra coscia. A questa domanda il bugiardo veneziano rispose prontamente: «Mio signore, le gru hanno solamente una coscia e una gamba.»
Allora Corrado, arrabbiato, disse «Cosa diavolo significa che hanno solo una coscia e una gamba, pensi che io non abbia mai visto altre gru che questa ?»
Chichibio proseguì: «Signore, è come io vi dico; se volete, ve lo dimostrerò con le gru vive.»
Corrado, per rispetto degli ospiti che aveva con sé non volle continuare la questione, ma disse:

[12] È il nome della serva affezionata del Boccaccio, di cui egli si ricordò nel suo testamento.

[13] Antica forma del dialetto veronese, non veneziano.

[14] Osserva il tono scherzoso, il *voi* e il *donna* dato da Chichibio a questa semplice e sprovveduta ragazza.

[15] Questo del veneziano bugiardo era uno stereotipo dovuto al legame allora esistente tra Venezia e il Levante. Si protrarrà per tutta la Commedia dell'Arte.

[16] Corrado Gianfigliazzi, alla risposta ardita di Chichibio, ha una reazione controllata ma violenta.

«Poi che tu di' di farmelo veder ne' vivi, cosa che io mai più non vidi né udi' dir che fosse, e io il voglio veder domattina e sarò contento; ma io ti giuro in sul corpo di Cristo che, se altramenti sarà, che io ti farò conciare in maniera, che tu con tuo danno ti ricorderai, sempre che tu ci viverai, del nome mio.»

Finite adunque per quella sera le parole, la mattina seguente, come il giorno apparve, Currado, a cui non era per lo dormire l'ira cessata, tutto ancor gonfiato si levò e comandò che i cavalli gli fossero menati; e fatto montar Chichibio sopra un ronzino, verso una fiumana, alla riva della quale sempre soleva in sul far del dì vedersi delle gru, nel menò dicendo: «Tosto vedremo chi avrà iersera mentito, o tu o io.»
Chichibio, veggendo che ancora durava l'ira di Currado e che far gli conveniva pruova della sua bugia, non sappiendo come poterlasi fare cavalcava appresso a Currado con la maggior paura del mondo, e volentieri, se potuto avesse, si sarebbe fuggito; ma non potendo, ora innanzi e ora adietro e dallato si riguardava, e ciò che vedeva credeva che gru fossero che stessero in due piè.[17]
Ma già vicini al fiume pervenuti, gli venner prima che a alcun vedute sopra la riva di quello ben dodici gru, le quali tutte in un piè dimoravano, sì come quando dormono soglion fare;[18] per che egli, prestamente mostratele a Currado, disse: «Assai bene potete, messer, vedere che iersera vi dissi il vero, che le gru non hanno se non una coscia e un piè, se voi riguardate a quelle che colà stanno.»
Currado vedendole disse: «Aspettati, che io ti mostrerò che elle n'hanno due», e fattosi alquanto più a quelle vicino, gridò: «Ho, ho!» per lo qual grido le gru, mandato l'altro piè giù, tutte dopo alquanti passi cominciarono a fuggire;[19]

«*Siccome tu dici che sei in grado di dimostrar-*
melo con le gru vive, cosa che io non ho mai vi-
sto né udito, ebbene io voglio vederlo domani
mattina e allora sarò soddisfatto; ma giuro sul
corpo di Cristo che se non sarà come tu dici, ti
farò conciare in modo tale che ti ricorderai sem-
pre, a tue spese, del mio nome, sempre che tu
possa continuare a vivere in questo mondo.»
Terminata dunque per quella sera la discussio-
ne, la mattina seguente, appena si fece giorno,
Corrado, a cui il sonno non aveva placato l'ira,
ancora infuriato si alzò e ordinò che gli fossero
portati i cavalli. Fatto montare Chichibio su un
cavallino malandato, lo portò verso un fiume in
riva al quale di solito sul far del giorno si pote-
vano vedere delle gru, dicendo: «*Presto vedre-*
mo chi ha mentito ieri sera, io o tu.»
Chichibio, resosi conto che l'ira di Corrado per-
sisteva e convinto che fosse necessario trovare
delle prove per la sua bugia, non sapendo come
fare cavalcava dietro Corrado con la paura più
grande del mondo, e volentieri, se avesse potu-
to, sarebbe scappato; ma non potendo, adesso si
guardava intorno e tutto ciò che vedeva credeva
che fossero gru che stavano su due zampe.

Ma quando già erano arrivati al fiume, gli ca-
pitò di vedere prima di ogni altro sulla riva ben
dodici gru, che stavano tutte ritte su una zam-
pa, così come usano fare quando dormono; per-
ciò egli le mostrò subito a Corrado e disse:
«*Signore, se guardate quelle gru che stanno là,*
potete vedere chiaramente che ieri sera vi ho
detto la verità, che le gru cioè hanno solo una
coscia e una zampa.»
Corrado, dopo averle viste, disse: «*Aspetta, ti*
farò vedere che ne hanno due», *e, avvicinatosi a*
loro, gridò: «*Ho, ho!*»; *al sentire questo grido,*
le gru cominciarono a scappare, per cui Corrado
rivolto a Chichibio disse: «*Che te ne pare, ghiot-*

[18] Una simile abitudine delle gru è frequentemente riportata nei bestiari medievali.

[19] Secondo i bestiari medievali, prima di volare le gru avevano bisogno di prendere lo slancio con alcuni passi.

20 L'aggettivo dimostra che Corrado sa benissimo come sono andate le cose in realtà.

21 È questa la trovata geniale che manifesta la grande arguzia del servo dinanzi al padrone. La sorte gli viene incontro, ma è Chichibio l'ar-

laonde Currado rivolto a Chichibio disse: «Che ti par, ghiottone?[20] parti che elle n'abbian due?» Chichibio quasi sbigottito, non sappiendo egli stesso donde si venisse, rispose: «Messer sì, ma voi non gridaste 'ho, ho!' a quella d'iersera; ché se così gridato aveste ella avrebbe così l'altra coscia e l'altro piè fuor mandata, come hanno fatto queste.[21]»

A Currado piacque tanto questa risposta, che tutta la sua ira si convertì in festa e riso, e disse: «Chichibio, tu hai ragione: ben lo doveva fare.[22]»

Così adunque con la sua pronta e sollazzevol risposta Chichibio cessò la mala ventura e paceficossi col suo signore. —

Due scene della novella in una incisione antica.

36

tone? Ti sembra che ne abbiano due ?»

Chichibio, terrorizzato, non sapendo neppure lui da dove gli venissero le parole, rispose: «Sì, signore, ma voi non avete gridato 'ho, ho' a quella di ieri sera; perché se voi aveste gridato così lei avrebbe messo fuori l'altra coscia e l'altra zampa, come hanno fatto queste.»

A Corrado questa risposta piacque così tanto che tutta la sua ira si trasformò in gioia e risate, e disse: «Chichibio, hai ragione: l'avrei dovuto proprio fare.»

Così dunque, con la sua risposta tempestiva e divertente, Chichibio evitò la sventura e fece pace con il suo signore. —

tefice único della propria salvezza, colui che riesce a trovare il rimedio ad una situazione divenuta davvero difficile.

22 Nota che comunque è il padrone che accetta di non punire il «villano».

Una pagina manoscritta del *Decamerone*, conservata alla Bibliothèque Nationale di Parigi.

FRATE CIPOLLA E LA PENNA DELL'ARCANGELO GABRIELE

GIORNATA SESTA, NOVELLA DECIMA

Boccaccio ci presenta la divertente figura di un religioso, Frate Cipolla, che riesce abilmente a ingannare i propri fedeli. Frate Cipolla è un uomo astuto e intelligente, sa come parlare alla gente, sa come convincerla.
Le pagine in cui Boccaccio racconta la predica di Frate Cipolla ai fedeli sono le più intense della novella. Boccaccio esalta l'ingegno e l'eloquenza del religioso; contemporaneamente, lascia emergere l'ingenuità e la grande ignoranza dei fedeli, a cui è possibile far credere le cose più incredibili e assurde.

[1] Nome con ogni probabilità suggerito da quanto viene detto in seguito; era comunque un nome non insolito in Toscana. Si tratta del primo esempio di quei riferimenti, a metà fra la storia e l'immaginazione, di cui la novella è ricchissima.

[2] Nel Vangelo di Luca, è l'arcangelo che annuncia a Maria la prossima nascita del Redentore.

Frate Cipolla[1] promette a certi contadini di mostrar loro la penna dell'agnolo Gabriello;[2] in luogo della quale trovando carboni, quegli dice esser di quegli che arrostirono san Lorenzo.[3]

Essendo ciascuno della brigata della sua novella riuscito, conobbe Dioneo[4] che a lui toccava il dover dire; per la qual cosa, senza troppo solenne comandamento aspettare, imposto silenzio a quegli che il sentito motto di Guido[5] lodavano, incominciò:

— Vezzose donne, quantunque io abbia per privilegio di poter di quel che più mi piace parlare, oggi io non intendo di volere da quella materia separarmi della quale voi tutte avete assai acconciamente parlato; ma, seguitando le vostre pedate, intendo di mostrarvi quanto cautamente con subito riparo uno de' frati di santo Antonio fuggisse uno scorno che da due giovani apparecchiato gli era. Né vi dovrà esser grave perché io, per ben dir la novella com-

Una figura simile è quella del Pardoner nei «Canterbury Tales» di Geoffrey Chaucer, autore che conobbe Petrarca e che certamente conosceva il «Decamerone». Mentre tuttavia Chaucer disprezza il disonesto che vende finte reliquie, Boccaccio è più sorridente e chiaramente dalla parte di Frate Cipolla.

Frate Cipolla promette a certi contadini di mostrar loro la penna dell'angelo Gabriele; siccome al suo posto trova dei carboni, dice che sono di quelli che bruciarono San Lorenzo.

Quando ciascuno della compagnia finì la sua novella, Dioneo si accorse che il compito di parlare toccava a lui; per questo, senza aspettare un ordine troppo solenne, impose il silenzio a quelli che stavano lodando la battuta giudiziosa di Guido, e cominciò:
— Graziose donne, nonostante io abbia il privilegio di parlare di ciò che più mi piace, oggi non voglio abbandonare l'argomento di cui voi tutte avete parlato in modo così appropriato; ma, seguendo le vostre orme, intendo mostrarvi con quanta accortezza uno dei frati di Sant'Antonio, con un pronto rimedio, evitò una beffa che gli era stata preparata da due giovani. Come vedete, il sole è ancora alto in cielo, quindi spero di non stancarvi anche se, per raccontarvi bene tut-

[3] Arcidiacono romano, martire nel 258 durante la persecuzione di Valeriano. Si conoscono le vicende del suo martirio attraverso il «Passio Polychronii», in cui tra l'altro è descritto il suo supplizio sulla graticola.

[4] Il giovane che racconterà questa novella.

[5] Guido Cavalcanti, protagonista della novella precedente.

6 Poiché è ancora presto, vista la brevità delle novelle raccontate.

7 Il paese d'origine del padre del Boccaccio.

8 Valle in provincia di Siena dove scorre il fiume Elsa.

9 I frati di Sant'Antonio avevano fama di essere impostori e spacciatori di false reliquie. Più di una volta la Chiesa di Roma è intervenuta per frenare i loro abusi.

10 *Brigante* nel senso originale di frequentatore di brigate, di compagnie.

11 Per il Boccaccio, Cicerone e Quintiliano erano modelli insuperabili di oratoria e retorica.

piuta, alquanto in parlar mi distenda, se al sol guarderete il qual è ancora a mezzo il cielo.[6] Certaldo,[7] come voi forse avete potuto udire, è un castel di Valdelsa[8] posto nel nostro contado, il quale, quantunque piccol sia, già di nobili uomini e d'agiati fu abitato; nel quale, per ciò che buona pastura vi trovava, usò un lungo tempo d'andare ogni anno una volta a ricoglier le limosine fatte loro dagli sciocchi un de' frati di santo Antonio,[9] il cui nome era frate Cipolla, forse non meno per lo nome che per altra divozione vedutovi volontieri, con ciò sia cosa che quel terreno produca cipolle famose per tutta Toscana. Era questo frate Cipolla di persona piccolo, di pelo rosso e lieto nel viso e il miglior brigante[10] del mondo: e oltre a questo, niuna scienza avendo, sì ottimo parlatore e pronto era, che chi conosciuto non l'avesse, non solamente un gran rettorico l'avrebbe estimato, ma avrebbe detto esser Tulio medesimo o forse Quintiliano:[11] e quasi di tutti quegli della contrada era compare o amico o benvogliente.[12]

Il quale, secondo la sua usanza, del mese d'agosto tra l'altre v'andò una volta; e una domenica mattina, essendo tutti i buoni uomini e le femine delle ville da torno venuti alla messa nella calonica, quando tempo gli parve, fattosi innanzi disse: «Signori e donne, come voi sapete, vostra usanza è di mandare ogni anno a' poveri del baron[13] messer santo Antonio del vostro grano e delle vostre biade, chi poco e chi assai, secondo il podere e la divozion sua, acciò che il beato santo Antonio vi sia guardia de' buoi e degli asini e de' porci e delle pecore vostre;[14] e oltre a ciò solete pagare, e spezialmente quegli che alla nostra compagnia scritti sono, quel poco debito che ogni anno si paga una volta. Alle quali cose ricogliere io sono dal mio maggiore, cioè da messer l'abate, stato mandato; e per ciò con la benedizion di Dio, dopo nona, quando

ta la novella, mi dilungherò un po' nel parlare.

Come forse avete sentito dire, Certaldo è un borgo della Val d'Elsa situato nella nostra campagna, abitato nel passato, nonostante sia piccolo, da uomini ricchi e nobili. Per molto tempo uno dei frati di Sant'Antonio, trovandovi un buon pascolo, andò in questo borgo una volta all'anno a raccogliere le elemosine fatte da gente ingenua; questo frate si chiamava frate Cipolla ed era accolto volentieri forse più per il nome che per un'altra forma di devozione, visto che quel terreno produce cipolle famose in tutta la Toscana. Questo frate Cipolla era basso, aveva capelli rossi e un viso allegro ed era il miglior compagnone del mondo; anche se non aveva alcuna cultura, era un oratore così bravo e pronto che chi non l'avesse conosciuto lo avrebbe stimato un grande maestro di eloquenza, avrebbe detto che era Cicerone in persona o forse Quintiliano; per gli abitanti del borgo era come uno di famiglia, un amico o un conoscente.

Come era solito fare, una volta andò nel borgo ad agosto. Una domenica mattina, quando tutti gli uomini per bene e le donne dei poderi vicini erano alla messa nella chiesa parrocchiale, al momento più opportuno si fece avanti e disse: «Signori e signore, come sapete, è vostra abitudine mandare ogni anno ai poveri del barone messer Sant'Antonio un po' del vostro grano e della vostra biada, chi poco e chi molto, secondo le possibilità e la devozione, affinché il beato Sant'Antonio protegga i buoi, gli asini, i maiali e le pecore che avete; di solito poi quelli che sono iscritti alla nostra confraternita pagano una piccola quota, una volta all'anno. Io sono stato mandato dal mio superiore, cioè dal messer Abate, a raccogliere queste offerte; quindi con la benedizione di Dio, dopo le tre del pomeriggio, quando sentirete suonare le campanelle vi invi-

[12] Osserva l'estrema precisione e sicurezza con cui il Boccaccio descrive Frate Cipolla. È evidente già in questa fase iniziale della novella la simpatia che il Boccaccio sente per il personaggio, presentato come un uomo benvoluto da tutti gli abitanti di Certaldo.

[13] Titolo d'onore che si usava mettere prima dei nomi dei santi.

[14] Sant'Antonio Abate era venerato come santo protettore degli animali; per questo veniva rappresentato con un maiale ai piedi. Secondo alcuni, il maiale era simbolo delle tentazioni del demonio.

15 Si allude ovvia-
mente all'Annuncia-
zione, di cui abbia-
mo detto in prece-
denza, così come ve-
niva raffigurata
nell'iconografia del
tempo.

16 I Bragoniera e i
Pizzini sono nomi di
famiglie allora esi-
stenti a Certaldo. I
Pizzini avevano case
e terreni confinanti
con i Boccaccio.

17 I due giovani
conoscono bene
Frate Cipolla e non
mettono in dubbio la
sua abilità nel risol-
vere a proprio favore
le situazioni difficili;
sono semplicemente
curiosi di vedere a
quale stratagemma
ricorrerà stavolta.

udirete sonare le campanelle, verrete qui di fuori della chiesa là dove io al modo usato vi farò la predicazione, e bascerete la croce; e oltre a ciò, per ciò che divotissimi tutti vi conosco del barone messer santo Antonio, di spezial grazia vi mostrerò una santissima e bella reliquia, la quale io medesimo già recai dalle sante terre d'oltremare: e questa è una delle penne dell'agnol Gabriello, la quale nella camera della Vergine Maria rimase quando egli la venne a annunziare in Nazarette.[15]» E questo detto si tacque e ritornossi alla messa.

Erano, quando frate Cipolla queste cose diceva, tra gli altri molti nella chiesa due giovani astuti molto, chiamato l'uno Giovanni del Bragoniera e l'altro Biagio Pizzini,[16] li quali, poi che alquanto tra sé ebbero riso della reliquia di frate Cipolla, ancora che molto fossero suoi amici e di sua brigata, seco proposero di fargli di questa penna alcuna beffa. E avendo saputo che frate Cipolla la mattina desinava nel castello con un suo amico, come a tavola il sentirono così se ne scesero alla strada, e all'albergo dove il frate era smontato se n'andarono con questo proponimento, che Biagio dovesse tenere a parole il fante di frate Cipolla e Giovanni dovesse tralle cose del frate cercare di questa penna, chente che ella si fosse, e torgliele, per vedere come egli di questo fatto poi dovesse al popol dire.[17]

Aveva frate Cipolla un suo fante, il quale alcuni chiamavano Guccio Balena e altri Guccio Imbratta, e chi gli diceva Guccio Porco;[18] il quale era tanto cattivo che egli non è vero che mai Lippo Topo[19] ne facesse alcun cotanto. Di cui spesse volte frate Cipolla era usato di motteggiare con la sua brigata e di dire: «Il fante mio ha in sé nove cose tali che, se qualunque è l'una di quelle fosse in Salamone[20] o in Aristotile o in Seneca, avrebbe forza di guastare ogni lor vertù, ogni lor senno, ogni lor santità. Pen-

to a venire qui fuori della chiesa, dove come sempre io vi farò la predica e voi bacerete la croce. Poi, siccome so che siete tutti molto devoti al barone messer Sant'Antonio, per una grazia speciale vi farò vedere una reliquia bella e santissima, che io stesso tempo fa ho portato dalla Terrasanta; è una delle penne dell'angelo Gabriele, rimasta nella camera della Vergine Maria quando le portò l'annuncio a Nazareth.» Detto questo, tacque e continuò a celebrare la messa.

Mentre egli diceva queste cose, in chiesa tra gli altri c'erano due giovani molto astuti, chiamati uno Giovanni del Bragoniera e l'altro Biagio Pizzini, che dopo aver riso un po' tra sé della reliquia di frate Cipolla, nonostante fossero suoi buoni amici e appartenessero alla sua stessa compagnia, decisero di fargli uno scherzo su questa penna. Vennero così a sapere che frate Cipolla la mattina mangiava nel borgo con un suo amico; appena seppero che era a tavola scesero per strada e andarono all'albergo dove il frate alloggiava. Il loro piano era questo: Biagio doveva tenere occupato a parole il servo di frate Cipolla e Giovanni doveva cercare tra le cose del frate questa penna, qualunque essa fosse, e prendergliela, per vedere cosa egli avrebbe detto alla gente di questo fatto.

Frate Cipolla aveva un servo, che alcuni chiamavano Guccio Balena, altri Guccio Imbratta, altri ancora Guccio Porco; era un tale imbroglione che neppure Lippo Topo riusciva mai a farne di così grosse. Spesso frate Cipolla quando era con tutti gli amici lo derideva e diceva: «Il mio servo ha in sé nove qualità tali che, se una qualsiasi di esse fosse in Salomone o in Aristotele o in Seneca, avrebbe il potere di rovinare tutta la loro saggezza, la loro prudenza e la loro moralità. Pensate quindi che uomo dev'essere quello che,

18 Guccio era l'abbreviazione comune di Arrigo, Arriguccio. Di Guccio Imbratta abbiamo notizia in molti documenti: il suo vero nome fu Arriguccio Aghinetti; era custode dell'Ospedale di San Filippo.

19 Pittore bizzarro, di cui non sono rimasti documenti. Gli si attribuivano varie stranezze e beffe, tra cui un falso testamento.

20 Terzo re di Israele vissuto nel decimo secolo avanti Cristo, descritto nella Bibbia come uomo di straordinaria sapienza e giustizia.

21 Secondo i docu-
menti storici di cui si
è in possesso,
Guccio risulta già
sposato nel 1331,
quindi l'episodio di
cui tratta la novella
sarebbe anteriore.

sate adunque che uom dee essere egli, nel quale né vertù né senno né santità alcuna è, avendone nove!»; e essendo alcuna volta domandato quali fossero queste nove cose e egli, aven-
dole in rima messe, rispondeva: «Dirolvi: egli è
tardo, sugliardo e bugiardo; negligente, disubidente e maldicente; trascutato, smemorato e
scostumato ; senza che egli ha alcune altre tec-
cherelle con queste, che si taccion per lo migliore. E quel che sommamente è da rider de'
fatti suoi è che egli in ogni luogo vuol pigliar
moglie[21] e tor casa a pigione; e avendo la barba
grande e nera e unta, gli par sì forte esser bello
e piacevole, che egli s'avisa che quante femine
il veggano tutte di lui s'innamorino, e essendo
lasciato, a tutte andrebbe dietro perdendo la
coreggia. È il vero che egli m'è d'un grande
aiuto, per ciò che mai niun non mi vuol sì segreto parlare, che egli non voglia la sua parte
udire; e se avviene che io d'alcuna cosa sia domandato, ha sì gran paura che io non sappia rispondere, che prestamente risponde egli e sì e
no, come giudica si convenga.[22]»

A costui, lasciandolo all'albergo, aveva frate
Cipolla comandato che ben guardasse che alcuna persona non toccasse le cose sue, e spezialmente le sue bisacce, per ciò che in quelle
erano le cose sacre. Ma Guccio Imbratta, il
quale era più vago di stare in cucina che sopra i
verdi rami l'usignuolo, e massimamente se fante vi sentiva niuna, avendone in quella dell'oste
una veduta, grassa e grossa e piccola e mal fatta, con un paio di poppe che parean due ceston
da letame e con un viso che parea de' Baronci,[23] tutta sudata, unta e affumicata, non altramenti che si gitti l'avoltoio alla carogna, lasciata
la camera di frate Cipolla aperta e tutte le sue
cose in abbandono, là si calò;[24] e ancora che
d'agosto fosse, postosi presso al fuoco a sedere,
cominciò con costei, che Nuta aveva nome, a

22 Abbiamo qui un
primo esempio dell'
abilità di Frate
Cipolla nel parlare in
modo vivace e colori-
to. Durante la predi-
ca, più avanti nella
novella, questa abi-
lità emergerà ancora
più nettamente.

23 I Baronci erano
considerati la fami-
glia più brutta di
Firenze. Nella sesta
novella di questa
giornata, il Boccac-

pur avendo nove qualità, non ha né saggezza né prudenza né moralità!». Siccome qualche volta gli domandavano quali fossero queste nove qualità, egli così rispondeva: «Ve lo dirò: egli è pigro, sudicio e bugiardo; negligente, disubbidiente e maldicente; trascurato, smemorato e maleducato; ha anche qualche altro piccolo difetto di cui è meglio tacere. Quello poi che più fa ridere di lui è che dovunque vada vuole sposarsi e prendere casa in affitto; siccome ha la barba lunga e nera e unta, gli sembra di essere così bello e piacevole, che pensa che tutte le donne che lo vedono si innamorino di lui, e se lo si lasciasse fare andrebbe dietro a tutte, tanto che perderebbe anche la cintura. Egli mi aiuta molto, poiché ogni volta che qualcuno mi vuole parlare in segreto, vuole sentire la sua parte; e se capita che mi si domandi qualcosa, ha una tale paura che io non sappia rispondere, che immediatamente risponde lui sì o no, secondo come crede meglio.»

Frate Cipolla, lasciando il servo all'albergo, gli aveva ordinato di far bene attenzione che nessuno toccasse le sue cose, in particolare le bisacce dove stavano le reliquie. Ma Guccio Imbratta aveva più voglia di stare in una cucina di quanta ne ha l'usignolo di star sopra i rami verdi, specie se vi trovava qualche serva; capitò che ne vide una nella cucina dell'oste, grassa e tozza e piccola e mal fatta, con due mammelle che sembravano due grosse ceste per il letame e un viso che sembrava dei Baronci, tutta sudata, unta e affumicata; e proprio come l'avvoltoio si getta sulla carogna, se ne andò da lei, lasciando aperta la camera di frate Cipolla e abbandonando tutte le sue reliquie. Nonostante fosse agosto, si mise a sedere vicino al fuoco e cominciò a parlare con la donna, che si chiamava Nuta, e le disse che

cio racconta che Dio li aveva creati per esperimento, prima ancora di creare Adamo.

24 Osserva la bellezza e la complessità di questo periodo, uno dei più straordinari di tutto il Decamerone. Osserva il tono solenne del linguaggio, in forte contrasto con l'argomento; la descrizione di Nuta, ricca di particolari quasi disgustosi; infine, il verbo conclusivo, che giunge dopo una fase di sospensione realizzata attraverso numerose proposizioni subordinate.

25 *Millanta* è un numero indeterminato e, affiancato al *nove*, vorrebbe essere di effetto grandioso, per incantare e affascinare Nuta.

26 Ad Altopascio, paese dell'alta Toscana, un convento distribuiva minestra ai poveri da un enorme pentolone.

27 Châtillon. Era un centro agricolo e industriale, allora molto famoso per l'industria tessile.

entrare in parole e dirle che egli era gentile uomo per procuratore e che egli aveva de' fiorini più di millantanove,[25] senza quegli che egli aveva a dare altrui, che erano anzi più che meno, e che egli sapeva tante cose fare e dire, che domine pure unquanche. E senza riguardare a un suo cappuccio sopra il quale era tanto untume, che avrebbe condito il calderon d'Altopascio,[26] e a un suo farsetto rotto e ripezzato e intorno al collo e sotto le ditella smaltato di sucidume, con più macchie e di più colori che mai drappi fossero tartereschi o indiani, e alle sue scarpette tutte rotte e alle calze sdrucite, le disse, quasi stato fosse il Siri di Ciastiglione,[27] che rivestir la voleva e rimetterla in arnese e trarla di quella cattività di star con altrui e senza gran possession d'avere ridurla in isperanza di miglior fortuna e altre cose assai: le quali quantunque molto affettuosamente le dicesse, tutte in vento convertite, come le più delle sue imprese facevano, tornarono in niente.[28]

Trovarono adunque i due giovani Guccio Porco intorno alla Nuta occupato; della qual cosa contenti, per ciò che mezza la lor fatica era cessata, non contradicendolo alcuno nella camera di frate Cipolla, la quale aperta trovarono, entrati, la prima cosa che venne lor presa per cercare fu la bisaccia nella quale era la penna; la quale aperta, trovarono[29] in un gran viluppo di zendado fasciata una piccola cassettina; la quale aperta, trovarono in essa una penna di quelle della coda d'un pappagallo, la quale avvisarono dovere esser quella che egli promessa avea di mostrare a' certaldesi. E certo egli il poteva a quei tempi leggiermente far credere, per ciò che ancora non erano le morbidezze d'Egitto, se non in piccola quantità, trapassate in Toscana, come poi in grandissima copia con disfacimento di tutta Italia son trapassate: e dove che elle poco conosciute fosse-

era un gentiluomo per procura e che possedeva più di millanta e nove fiorini, senza considerare quelli che doveva restituire ad altri, che erano piuttosto più che meno, e che sapeva fare e dire tante di quelle cose che neppure il suo padrone era capace di tanto. Non fece caso al suo cappello, così unto che avrebbe condito il pentolone di Altopascio, né al suo giubbetto rotto e rattoppato, lucido di sporco intorno al collo e sotto le ascelle, con più macchie e colori di quanti ne avessero i drappi tartari o turchi, né alle sue scarpe tutte rotte e nemmeno alle calze logore; le disse, come se fosse il Signore di Châtillon, che voleva rivestirla e rimetterla in sesto, liberarla dalla schiavitù di stare al servizio altrui e senza ricchezze, darle la speranza in un futuro migliore e tante altre cose: ma nonostante parlasse in tono molto affettuoso, queste cose si trasformarono in aria, come accadeva per la maggior parte di quel che diceva, e non portarono ad alcun risultato.

I due giovani trovarono quindi Guccio Porco occupato con Nuta; contenti di questo, che gli risparmiava metà della fatica, senza trovare nessun impedimento entrarono nella camera di frate Cipolla, che era aperta, e la prima cosa dove gli capitò di cercare fu la bisaccia in cui era la penna. La aprirono e vi trovarono una piccola cassetta, avvolta in un grande drappo di seta; aprirono la cassetta e vi trovarono una penna di quelle della coda di un pappagallo, che pensarono fosse quella che il frate aveva promesso di mostrare ai certaldesi. Certamente a quei tempi egli lo poteva far credere facilmente, visto che ancora non erano arrivate in Toscana, se non in piccola quantità, quelle ricercatezze d'Oriente che poi sono arrivate in grandissima abbondanza, con rovina di tutta l'Italia; benché da qualche parte fossero un po' conosciute, gli abitanti di quel paese non ne sapevano niente; anzi, sic-

[28] Guccio è degno allievo di Frate Cipolla; da lui ha imparato ad imbrogliare con le parole, a costruire frasi strane, prive di senso.

[29] Il periodo è caratterizzato da ripetizioni continue, che danno rapidità alla narrazione e trattengono l'interesse degli ascoltatori come in sospensione.

30 Il Boccaccio loda la semplicità degli antichi e giudica con severità i costumi del suo tempo, corrotto e rovinato dal lusso.

31 Una penna di pappagallo poteva essere scambiata, dagli ingenui certaldesi, per una penna d'angelo; ma il carbone era cosa troppo comune per crearvi fantasie teologiche.

ro, in quella contrada quasi in niente erano dagli abitanti saputi; anzi, durandovi ancora la rozza onestà degli antichi,[30] non che veduti avessero pappagalli ma di gran lunga la maggior parte mai uditi non gli avea ricordare. Contenti adunque i giovani d'aver la penna trovata, quella tolsero e, per non lasciare la cassetta vota, vedendo carboni in un canto della camera, di quegli la cassetta empierono;[31] e richiusala e ogni cosa racconcia come trovata avevano, senza essere stati veduti, lieti se ne vennero con la penna e cominciarono a aspettare quello che frate Cipolla, in luogo della penna trovando carboni, dovesse dire.

Gli uomini e le femine semplici che nella chiesa erano, udendo che veder dovevano la penna dell'agnol Gabriello dopo nona, detta la messa, si tornarono a casa; e dettolo l'un vicino all'altro e l'una comare all'altra, come desinato ebbero ogni uomo, tanti uomini e tante femine concorsono nel castello, che appena vi capeano, con disidero aspettando di veder questa penna. Frate Cipolla, avendo ben desinato e poi alquanto dormito,[32] un poco dopo nona levatosi e sentendo la moltitudine grande esser venuta di contadini per dovere la penna vedere, mandò a Guccio Imbratta che là sù[33] con le campanelle[34] venisse e recasse le sue bisacce. Il quale, poi che con fatica dalla cucina e dalla Nuta si fu divelto, con le cose addimandate con fatica lassù n'andò: dove ansando giunto, per ciò che il ber dell'acqua gli avea molto fatto crescere il corpo, per comandamento di frate Cipolla andatone in su la porta della chiesa, forte incominciò le campanelle a sonare.

Dove, poi che tutto il popolo fu ragunato, frate Cipolla, senza essersi avveduto che niuna sua cosa fosse stata mossa, cominciò la sua predica e in acconcio de' fatti suoi disse molte parole; e dovendo venire al mostrar della penna

come ancora persisteva l'ingenua onestà degli antichi, non solo non avevano mai visto pappagalli, ma di gran lunga la maggior parte di loro non li aveva mai sentiti neppure nominare. Così i giovani, contenti di aver trovato la penna, la presero e, per non lasciare la cassetta vuota, avendo visto dei carboni in un angolo della camera, la riempirono con quelli; dopo averla richiusa e dopo aver rimesso tutto come avevano trovato, se ne andarono felici con la penna, senza essere visti da nessuno, e cominciarono ad aspettare quello che frate Cipolla avrebbe detto, nel trovare i carboni al posto della penna.

Gli uomini e le donne semplici che erano in chiesa, sentendo che avrebbero visto la penna dell'angelo Gabriele dopo le tre del pomeriggio, alla fine della messa erano tornati a casa, e tutti i vicini e le comari si erano poi passati la voce. Quando ognuno ebbe finito di mangiare, corsero al borgo tanti uomini e tante donne che a malapena vi entravano, aspettando con ansia di vedere questa penna. Frate Cipolla, dopo aver ben mangiato e dormito, si alzò poco dopo le tre; sentendo che era venuta moltissima gente della campagna per vedere la penna, ordinò a Guccio Imbratta di andare su con le campanelle e le bisacce. Il servo, che a stento si era allontanato dalla cucina e da Nuta, faticosamente andò su con le cose richieste; arrivò ansimante, poiché l'acqua bevuta gli aveva fatto gonfiare lo stomaco, e seguendo l'ordine di frate Cipolla andò alla porta della chiesa e cominciò a suonare forte le campanelle.

Appena tutta la gente si fu radunata, frate Cipolla, che non si era accorto che qualche cosa era stata mossa, cominciò la sua predica e disse molte parole in aiuto dei fatti suoi. Al momento in cui doveva mostrare la penna dell'angelo

[32] Frate Cipolla non imita i villani, che si precipitano ansiosi in chiesa; il religioso mangia, dorme a lungo, e si alza poco prima dell'ora in cui era stabilito che si celebrasse la messa.

[33] Il Castello è nella parte più alta di Certaldo.

[34] Le campanelle venivano suonate in occasione dell'esposizione di reliquie.

35 Frate Cipolla non si perde d'animo, mantiene la calma e la freddezza anche quando le circostanze, come in questo caso, sembrano condannarlo allo scherno generale.

36 Inizia qui la lunga predica di Frate Cipolla. Egli imbroglia i propri fedeli con un discorso incredibile, parlando di un viaggio straordinario compiuto in luoghi immaginari, inesistenti.

37 Nota che non esiste luogo al mondo in cui il sole non appare.

38 I documenti che comprovano i diritti del Porcellana, cioè, in realtà, dell'Ospedale di San Filippo a Firenze.

dell'agnol Gabriello, fatta prima con gran solennità la confessione, fece accender due torchi e soavemente sviluppando il zendado, avendosi prima tratto il cappuccio, fuori la cassetta ne trasse. E dette primieramente alcune parolette a laude e a commendazione dell'agnolo Gabriello e della sua reliquia, la cassetta aperse. La quale come piena di carboni vide, non sospicò che ciò Guccio Balena gli avesse fatto, per ciò che nol conosceva da tanto, né il maladisse del male aver guardato che altri ciò non facesse, ma bestemmiò tacitamente sé, che a lui la guardia delle sue cose aveva commessa, conoscendol, come faceva, negligente, disubidente, trascutato e smemorato. Ma non per tanto, senza mutar colore,[35] alzato il viso e le mani al cielo, disse sì che da tutti fu udito: «O Idio, lodata sia sempre la tua potenzia!»
Poi richiusa la cassetta e al popolo rivolto disse: «Signori e donne,[36] voi dovete sapere che, essendo io ancora molto giovane, io fui mandato dal mio superiore in quelle parti dove apparisce il sole,[37] e fummi commesso con espresso comandamento che io cercassi tanto che io trovassi i privilegi del Porcellana,[38] li quali, ancora che a bollar niente costassero, molto più utili sono a altrui che a noi. Per la qual cosa messom'io in cammino, di Vinegia partendomi e andandomene per lo Borgo de' Greci e di quindi per lo reame del Garbo cavalcando e per Baldacca, pervenni in Parione, donde, non senza sete, dopo alquanto pervenni in Sardigna.[39] Ma perché vi vo io tutti i paesi cerchi da me divisando? Io capitai, passato il Braccio di San Giorgio, in Truffia e in Buffia,[40] paesi molto abitati e con gran popoli; e di quindi pervenni in terra di Menzogna,[41] dove molti de' nostri frati e d'altre religioni trovai assai, li quali tutti il disagio andavan per l'amor di Dio schifando, poco dell'altrui fatiche curandosi dove la loro utilità vedes-

Gabriele, dopo aver recitato il confiteor con grande solennità, fece accendere due ceri e aprendo delicatamente il drappo di seta, dopo essersi levato il cappuccio estrasse la cassetta. Prima disse alcune parole in lode e in onore dell'angelo Gabriele e della sua reliquia, quindi aprì la cassetta. Quando la vide piena di carboni, non ebbe il sospetto che fosse stato Guccio Balena, perché non lo credeva capace di tanto; neppure lo maledisse per non aver fatto attenzione che qualcun altro lo facesse, ma rimproverò se stesso in silenzio, perché gli aveva affidato la guardia delle sue cose, pur sapendo che era negligente, disubbidiente, trascurato e smemorato. Tuttavia, senza cambiare espressione, alzò il viso e le mani al cielo e disse, così che tutti potessero sentirlo: «O Iddio, sempre sia lodata la tua potenza!»

Quindi, dopo aver richiuso la cassetta, disse rivolto alla gente: «Signori e signore, dovete sapere che quando ero ancora molto giovane fui mandato dal mio superiore in quei luoghi dove appare il sole, e mi fu ordinato espressamente di cercare finché non avessi trovato i privilegi del Porcellana i quali, anche se non costava niente bollarli, sono più utili agli altri che a noi. Mi misi perciò in cammino, e partendo da Vinegia me ne andai per il Borgo dei Greci e da qui cavalcando fino al regno del Garbo e attraverso Baldacca arrivai in Parione,[39] da cui non senza sete arrivai dopo un po' di tempo in Sardigna. Ma perché vi sto descrivendo tutti i paesi da me visitati? Io capitai, dopo aver passato il braccio di San Giorgio, in Truffia e in Buffia,[40] paesi abitatissimi e con molti abitanti; da qui arrivai nella terra di Menzogna,[41] dove incontrai molti frati del nostro ordine e di altri, i quali tutti per l'amor di Dio evitavano ogni disagio, si curavano poco delle fatiche altrui, solo dove ne vedevano una utilità per loro, non spendevano altra

[39] Tutti questi nomi, da Vinegia a Sardigna, sono nomi di vie e piazze di Firenze. Frate Cipolla, con il suo linguaggio, rende straordinarie e meravigliose le cose più semplici.

[40] Nei paesi della truffa e della beffa. In questo caso Frate Cipolla è abbastanza esplicito, ma i fedeli non si accorgono del gioco di parole.

[41] Altro nome geografico immaginario, con un evidente significato ironico.

42 Il Boccaccio qui fa un'allusione sessuale.

43 La pastinaca è una radice piuttosto dolce; forse Boccaccio usa questo riferimento per alludere alle spezie dell'Oriente.

44 Commerciante fiorentino, famoso per essere un gran burlone.

45 Non è, come può sembrare, il pan caldo, ma il caldo che d'estate non costa nulla.

sero seguitare, nulla altra moneta spendendo che senza conio per quei paesi: e quindi passai in terra d'Abruzzi, dove gli uomini e le femine vanno in zoccoli su pe' monti, rivestendo i porci delle lor busecchie medesime; e poco più là trovai gente che portano il pan nelle mazze e 'l vin nelle sacca:[42] da' quali alle montagne de' Bachi pervenni, dove tutte l'acque corrono alla 'ngiù. E in brieve tanto andai adentro, che io pervenni mei infino in India Pastinaca,[43] là dove io vi giuro per l'abito che io porto addosso che io vidi volare i pennati, cosa incredibile a chi non gli avesse veduti; ma di ciò non mi lasci mentire Maso del Saggio,[44] il quale gran mercatante io trovai là, che schiacciava noci e vendeva gusci a ritaglio. Ma non potendo quello che io andava cercando trovare, per ciò che da indi in là si va per acqua, indietro tornandomene, arrivai in quelle sante terre dove l'anno di state vi vale il pan freddo quattro denari e il caldo v'è per niente.[45] E quivi trovai il venerabile padre messer Nonmiblasmete Sevoipiace,[46] degnissimo patriarca di Ierusalem. Il quale, per reverenzia dell'abito che io ho sempre portato del baron messer santo Antonio, volle che io vedessi tutte le sante reliquie le quali egli appresso di sé aveva; e furon tante che, se io ve le volessi tutte contare, io non ne verrei a capo in parecchie miglia, ma pure, per non lasciarvi sconsolate, ve ne dirò alquante. Egli primieramente mi mostrò il dito dello Spirito Santo così intero e saldo come fu mai, e il ciuffetto del serafino che apparve a san Francesco, e una dell'unghie de' gherubini, e una delle coste del Verbum-caro-fatti-alle-finestre[47] e de' vestimenti della santa Fé catolica, e alquanti de' raggi della stella che apparve a' tre Magi in Oriente, e una ampolla del sudore di san Michele quando combatté col diavolo, e la mascella della Morte[48] di san Lazzero e altre. E per ciò che io liberamente gli feci copia delle

moneta se non quelle mai coniate in quei paesi; quindi passai per la terra degli Abruzzi, dove gli uomini e le donne vanno sui monti con gli zoccoli, rivestono i maiali con le loro stesse budella; e poco lontano incontrai gente che infilava le ciambelle nei bastoni e metteva il vino negli otri; da qui giunsi alle montagne dei Bachi, dove tutte le acque scorrono verso il basso. E in breve tanto mi addentrai, che arrivai fino in India Pastinaca, dove vi giuro, per l'abito che porto, che vidi volare gli uccelli, cosa incredibile per chi non li ha mai visti; ma, e di questo non mi faccia mentire Maso del Saggio, trovai laggiù un mercante così grande che schiacciava le noci e ne vendeva i gusci al dettaglio. Ma non ero riuscito a trovare quello che stavo cercando; e poiché da lì in poi si va per mare, ritornai indietro e arrivai in quelle terre sante dove ogni anno d'estate il pane freddo costa quattro denari e il caldo non costa nulla. Qui trovai il venerabile padre messer Nonmiblasmete Sevoipiace, degnissimo patriarca di Gerusalemme; questi, per rispetto dell'abito del barone messer Sant'Antonio che ho sempre portato, volle che io vedessi tutte le sante reliquie che aveva con sé; ed erano così tante che, se io vi volessi parlare di tutte, non ce la farei neppure in molte miglia; in ogni modo, per non deludervi, ve ne descriverò alcune. Per prima cosa egli mi mostrò il dito dello Spirito Santo, così intero e saldo come mai fu, e il ciuffetto del serafino che apparve a San Francesco, e una delle unghie dei cherubini, e una delle costole del Verbum-caro-fatti-alle-finestre e degli abiti della Santa Fede cattolica, e alcuni raggi della stella che apparve ai tre Magi in Oriente, e un'ampolla del sudore di San Michele quando combatté col diavolo, e la mascella della Morte di San Lazzaro e altre. Siccome io spontaneamente gli donai i pendii di Monte Morello in volgare e alcuni capitoli del Caprezio, che per

[46] Sembra un adattamento del francese antico Neme-blasmete Sevo-splait; naturalmente anche questo è un nome immaginario utilizzato dal frate per stupire i fedeli.

[47] Storpiatura della frase latina «verbum caro factum est», tratta dal Vangelo di San Giovanni.

[48] La morte era correntemente immaginata come uno scheletro femminile.

49 Ancora una volta il Boccaccio fa allusioni sessuaii; qui allude alla sodomia.

50 È stato uno dei primi francescani; introdusse l'uso degli zoccoli tra i frati di tale ordine.

51 È stato un importante membro dell'Arte della Lana.

52 Osserva l'incisività, la forza di questa rapida conclusione, a seguito del lun-

piagge di Monte Morello in volgare e d'alquanti capitoli del Caprezio,[49] li quali egli lungamente era andato cercando, mi fece egli partefice delle sue sante reliquie: e donommi uno de' denti della Santa Croce e in una ampoletta alquanto del suono delle campane del tempio di Salomone e la penna dell'agnol Gabriello, della quale già detto v'ho, e l'un de' zoccoli di san Gherardo da Villamagna[50] (il quale io, non ha molto, a Firenze donai a Gherardo di Bonsi,[51] il quale in lui ha grandissima divozione) e diedemi de' carboni co' quali fu il beatissimo martire san Lorenzo arrostito; le quali cose io tutte di qua con meco divotamente le recai, e holle tutte.[52] È il vero che il mio maggiore non ha mai sofferto che io l'abbia mostrate infino a tanto che certificato non s'è se desse sono o no; ma ora che per certi miracoli fatti da esse e per lettere ricevute dal Patriarca fatto n'è certo, m'ha conceduta licenzia che io le mostri; ma io, temendo di fidarle altrui, sempre le porto meco. Vera cosa è che io porto la penna dell'agnol Gabriello, acciò che non si guasti, in una cassetta e i carboni co' quali fu arrostito san Lorenzo in un'altra; le quali son sì simiglianti l'una all'altra, che spesse volte mi vien presa l'una per l'altra, e al presente m'è avvenuto: per ciò che, credendomi io qui avere arrecata la cassetta dove era la penna, io ho arrecata quella dove sono i carboni. Il quale io non reputo che stato sia errore, anzi mi pare esser certo che volontà sia stata di Dio e che Egli stesso la cassetta de' carboni ponesse nelle mie mani, ricordandom'io pur testé che la festa di san Lorenzo sia di qui a due dì.[53] E per ciò, volendo Idio che io, col mostrarvi i carboni co' quali esso fu arrostito, raccenda nelle vostre anime la divozione che in lui aver dovete, non la penna che io voleva, ma i benedetti carboni spenti dall'omor di quel santissimo corpo mi fé pigliare. E per ciò, figliuoli

*molto tempo egli aveva cercato, egli mi fece par-
tecipe delle sue sante reliquie; e mi donò uno
dei denti della Santa Croce e in una piccola ampolla un po' del suono delle campane del tempio
di Salomone e la penna dell'angelo Gabriele, di
cui già vi ho parlato, e uno degli zoccoli di San
Gherardo di Villamagna (che io non molto tempo fa, a Firenze, donai a Gherardo di Bonsi, il
quale ha una grandissima devozione per lui) e
mi diede anche dei carboni con i quali fu bruciato il beatissimo martire san Lorenzo; io ho devo-
tamente portato qui con me queste cose, e le ho
tutte. A dire il vero, il mio superiore non ha mai
permesso che io le mostrassi finché non si fosse
accertato se sono proprio quelle o no; ma adesso
che è un fatto certo, per certi miracoli fatti da esse e per alcune lettere ricevute dal Patriarca, mi
ha dato il permesso di mostrarvele; ed io, non fi-
dandomi di darle ad altri, le porto sempre con
me. In verità io porto la penna dell'angelo
Gabriele, perché non si rovini, in una cassetta, e
i carboni con i quali fu bruciato san Lorenzo in
un'altra. Queste cassette cono così simili una
all'altra, che spesso mi capita di prendere una
per l'altra, e in questo momento mi è accaduto
proprio così; infatti, credendo di aver portato
qui la cassetta con la penna, io ho portato quella
con i carboni. Non credo che questo sia stato un
errore, anzi sono certo che sia stata la volontà di
Dio e che Dio stesso abbia messo la cassetta dei
carboni nelle mie mani: proprio adesso infatti
mi ricordo che fra due giorni sarà la festa di san
Lorenzo. Dio vuole che io, mostrandovi i carboni con cui fu bruciato, riaccenda nelle vostre
anime la devozione che dovete avere in lui; perciò mi ha fatto prendere non la penna, come io
volevo, ma i carboni benedetti, spenti dagli
umori di quel corpo santissimo. Per questo, figli
miei benedetti, toglietevi i cappelli e devota-
mente avvicinatevi qui per vederli. Prima però*

go, quasi esaspe-
rante elenco delle
reliquie.

53 Dunque il
Boccaccio immagina
che l'episodio av-
venga l'8 agosto.
Ricordiamo che nel
Medio Evo si crede-
va comunemente
nel potere taumatur-
gico dei carboni tro-
vati sotterra il 10
agosto; questo per-
ché si credeva che
fossero quelli del ro-
go in cui il martire è
stato bruciato.

54 È questa l'ultima frase della predica; anche stavolta il tono in apparenza è solenne, e anche stavolta la solennità serve a mascherare il senso ovvio e canzonatorio delle parole.

55 Di nuovo, Frate Cipolla fa precedere solenni cerimonie all'apertura della cassetta con la reliquia.

benedetti, trarretevi i cappucci e qua divotamente v'appresserete a vedergli. Ma prima voglio che voi sappiate che chiunque da questi carboni in segno di croce è tocco, tutto quello anno può viver sicuro che fuoco nol cocerà che non si senta.[54]»

E poi che così detto ebbe, cantando una laude di san Lorenzo,[55] aperse la cassetta e mostrò i carboni; li quali poi che alquanto la stolta moltitudine ebbe con ammirazione reverentemente guardati, con grandissima calca tutti s'appressarono a frate Cipolla e, migliori offerte dando che usati non erano, che con essi gli dovesse toccare il pregava ciascuno. Per la qual cosa frate Cipolla, recatisi questi carboni in mano, sopra li lor camiscion[56] bianchi e sopra i farsetti e sopra li veli delle donne cominciò a fare le maggior croci che vi capevano, affermando che tanto quanto essi scemavano a far quelle croci, poi ricrescevano nella cassetta, sì come egli molte volte aveva provato.

E in cotal guisa, non senza sua grandissima utilità avendo tutti crociati i certaldesi, per presto accorgimento fece coloro rimanere scherniti, che lui, togliendogli la penna, avevan creduto schernire. Li quali stati alla sua predica e avendo udito il nuovo riparo preso da lui e quanto da lungi fatto si fosse e con che parole, avevan tanto riso, che eran creduti smascellare. E poi che partito si fu il vulgo, a lui andatisene, con la maggior festa del mondo ciò che fatto avevan gli discoprirono e appresso gli renderono la sua penna; la quale l'anno seguente gli valse non meno che quel giorno gli fosser valuti i carboni.[57]—

voglio che sappiate questo: chiunque sarà tocca-
to da questi carboni in segno di croce, può vivere
sicuro per tutto l'anno che il fuoco non lo scot-
terà senza che egli non se ne accorga.»

Dopo che ebbe detto questo, cantò una lode di
San Lorenzo, quindi aprì la cassetta e mostrò i
carboni; la sciocca moltitudine li guardò con re-
verenza per un po', quindi con grande confusio-
ne si avvicinarono tutti insieme a frate Cipolla:
ciascuno voleva essere toccato con quei carboni,
e faceva offerte migliori del solito. Allora frate
Cipolla prese questi carboni in mano e cominciò
a fare sulle loro camicie bianche e sui giubbotti e
sui veli delle donne le croci più grandi che ci po-
tevano entrare, dicendo che quei carboni poi ri-
crescevano nella cassetta per quanto diminuiva-
no nel fare quelle croci, così come lui aveva pro-
vato molte volte.

In questo modo, dopo aver segnato tutti i certal-
desi con la croce, con grandissimo profitto, gra-
zie al suo pronto rimedio beffò coloro che,
togliendogli la penna, avevano creduto di beffa-
re lui. Questi furono presenti alla predica; dopo
aver sentito il singolare rimedio, come l'avesse
presa alla lontana e con quali parole, risero così
tanto che credettero di sganasciarsi. Quando poi
la gente se ne andò, si recarono da lui e con il
più gran divertimento del mondo gli svelarono
ciò che avevano fatto e gli restituirono la penna,
che l'anno seguente gli rese non meno di quanto
quel giorno gli avessero reso i carboni.—

56 Il *camiscione* era
un indumento usato
comunemente dai
contadini del tempo.

57 La novella si
conclude in linea
con lo spirito lieto e
allegro che anima
l'intero
Decamerone. Il frate
e i burloni si ritrova-
no cordialmente in-
sieme, a ridere e a
scherzare.

CALANDRINO ALLA RICERCA DELLA PIETRA MAGICA

GIORNATA OTTAVA, NOVELLA TERZA

Protagonista di questa divertentissima novella è Calandrino, il personaggio più noto di tutto il Decamerone. Calandrino è una figura simbolica, è lo sciocco che si crede furbo, è colui che vuole beffare ma finisce per essere beffato. Calandrino è un perdente proprio perché non è intelligente; è privo cioè di quella qualità che Boccaccio più di ogni altra apprezza.

[1] Pittore fiorentino il cui vero nome era Giovannozzo di Perino; era noto nella Firenze del 1300 per la sua ingenuità.

[2] Bruno di Giovanni e Buonamico Cristofani detto Buffalmacco erano due pittori fiorentini realmente vissuti nel 1300.

[3] Piccolo fiume che si butta nell'Arno a valle di Firenze. Oggi è interno al perimetro della città.

Calandrino,[1] Bruno e Buffalmacco[2] giù per lo Mugnone[3] vanno cercando di trovar l'elitropia,[4] e Calandrino se la crede aver trovata; tornasi a casa carico di pietre; la moglie il proverbia e egli turbato la batte, e a' suoi compagni racconta ciò che essi sanno meglio di lui.

Finita la novella di Panfilo,[5] della quale le donne avevano tanto riso che ancora ridono, la reina[6] a Elissa[7] commise che seguitasse; la quale ancora ridendo incominciò:
— Io non so, piacevoli donne, se egli mi si verrà fatto di farvi con una mia novelletta non men vera che piacevole tanto ridere quanto ha fatto Panfilo con la sua: ma io me ne ingegnerò. Nella nostra città, la qual sempre di varie maniere e di nuove genti è stata abondevole, fu, ancora non è gran tempo, un dipintore chiamato Calandrino, uom semplice e di nuovi costumi. Il quale il più del tempo con due altri dipintori usava, chiamati l'un Bruno e l'altro

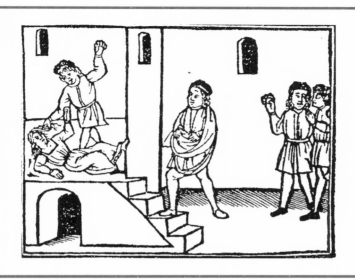

Calandrino, Bruno e Buffalmacco vanno giù per il Mugnone cercando di trovare l'elitropia, e Calandrino pensa di averla trovata; torna a casa carico di pietre; la moglie lo rimprovera ed egli arrabbiato la picchia, e racconta ai suoi compagni quello che loro sanno meglio di lui.

Finita la novella di Panfilo, alla quale le donne si erano tanto divertite che ancora adesso ne ridono, la Regina affidò il compito di continuare a Elissa; e questa, ancora ridendo, cominciò:
— Io non so, piacevoli donne, se con la mia piccola novella non meno vera che piacevole mi riuscirà di farvi ridere come ha fatto Panfilo con la sua: ma io ci proverò.
Nella nostra città, che è sempre stata ricca di usanze varie e di persone singolari, visse non molto tempo fa un pittore chiamato Calandrino, uomo ingenuo e di strane abitudini. Egli per la maggior parte del tempo si accompagnava con altri due pittori, chiamati uno Bruno e l'altro

4 Pietra favolosa di colore verde che si pensava avesse la virtù di rendere invisibili. Nel Medio Evo era comune attribuire alle pietre preziose delle virtù magiche.

5 Il giovane che ha raccontato la novella precedente.

6 La regina dell'ottava giornata è Lauretta; le novelle della giornata trattano delle beffe che

gli uomini tutti i giorni si fanno.

7 La giovane che racconterà questa novella.

8 Abbiamo incontrato questo personaggio anche nella novella dedicata a Frate Cipolla. Spesso nel Decamerone uno stesso personaggio è presente in più novelle, e ciò contribuisce a creare un'atmosfera familiare, amichevole.

9 Maso coglie Calandrino in un momento di serietà e riflessione, come in assorta contemplazione. Ricorda comunque che negli anni in cui è ambientata la novella, la pittura era una forma di artigianato e non un'arte vera e propria; risulta quindi più comprensibile l'interesse di Calandrino per le pitture e gli intagli di San Giovanni.

Buffalmacco, uomini sollazzevoli molto ma per altro avveduti e sagaci, li quali con Calandrino usavan per ciò che de' modi suoi e della sua simplicità sovente gran festa prendevano. Era similmente allora in Firenze un giovane di maravigliosa piacevolezza in ciascuna cosa che far voleva, astuto e avvenevole, chiamato Maso del Saggio;[8] il quale, udendo alcune cose della semplicità di Calandrino, propose di voler prender diletto de' fatti suoi col fargli alcuna beffa o fargli credere alcuna nuova cosa.

E per avventura trovandolo un dì nella chiesa di San Giovanni e vedendolo stare attento a riguardare le dipinture e gl'intagli del tabernaculo[9] il quale è sopra l'altare della detta chiesa,[10] non molto tempo davanti postovi, pensò essergli dato luogo e tempo alla sua intenzione. E informato un suo compagno di ciò che fare intendeva, insieme s'accostarono là dove Calandrino solo si sedeva, e faccendo vista di non vederlo insieme incominciarono a ragionare delle virtù di diverse pietre, delle quali Maso così efficacemente parlava come se stato fosse un solenne e gran lapidario.[11] A' quali ragionamenti Calandrino posta orecchie, e dopo alquanto levatosi in piè, sentendo che non era credenza, si congiunse con loro, il che forte piacque a Maso; il quale, seguendo le sue parole, fu da Calandrin domandato dove queste pietre così virtuose si trovassero. Maso rispose che le più si trovavano in Berlinzone,[12] terra de' baschi, in una contrada che si chiamava Bengodi,[13] nella quale si legano le vigne con le salsicce e avevavisi un'oca a denaio[14] e un papero giunta; e eravi una montagna tutta di formaggio parmigiano grattugiato, sopra la quale stavan genti che niuna altra cosa facevano che far maccheroni e raviuoli e cuocergli in brodo di capponi, e poi gli gittavan quindi giù, e chi più ne pigliava più se n'aveva; e ivi presso correva un fiumicel di ver-

Buffalmacco, due gran burloni che però erano anche molto scaltri ed accorti, e stavano con Calandrino per prendersi gioco dei suoi modi e della sua ingenuità. A quel tempo viveva a Firenze anche un giovane molto bello e gentile, astuto e abile in tutto quello che faceva, chiamato Maso del Saggio; sentendo parlare dell'ingenuità di Calandrino, egli pensò di divertirsi facendogli uno scherzo o facendogli credere qualche strana cosa.

Un giorno lo trovò per caso nella chiesa di San Giovanni e lo vide mentre osservava le pitture e i bassorilievi del tabernacolo, che da non molto tempo era stato messo sopra l'altare della chiesa; così pensò che quella fosse l'occasione favorevole per ciò che voleva fare. Dopo aver informato un suo amico delle sue intenzioni, insieme si avvicinarono al luogo dove Calandrino era seduto in solitudine, e facendo finta di non vederlo, cominciarono a parlare delle proprietà miracolose di alcune pietre preziose, delle quali Maso parlava così sapientemente che pareva un grande esperto. Calandrino fece attenzione a questi ragionamenti , e dopo un po' di tempo si alzò e, sentendo che non vi era segreto, si unì a loro, la qual cosa fece molto piacere a Maso; questi, continuando il suo discorso,, fu interrogato da Calandrino su dove si trovassero quelle pietre così preziose. Maso rispose che la maggior parte si trovava in Berlinzone, terra dei Baschi, in un paese che si chiamava Bengodi, in cui si legano le vigne con le salsicce e dove per solo un denaro si poteva avere un'oca e in più un papero; e c'era una montagna tutta di formaggio parmigiano grattugiato, sulla quale stavano delle persone che per tutto il tempo preparavano gnocchi e ravioli e li cuocevano in brodo di capponi, e poi da qui li gettavano giù e chi più ne prendeva più ne aveva; e lì vicino scorreva un fiumicello di ver-

[10] Il particolare permette di determinare con relativa precisione il tempo in cui il Boccaccio immaginò lo svolgimento della novella: sappiamo infatti che le decorazioni del tabernacolo di San Giovanni vennero affidate a Lippo di Benivieni nel 1313.

[11] Il termine lapidario indicava sia un esperto in pietre preziose, sia un trattato attorno alle pietre preziose.

[12] Località immaginaria. Comincia qui la lunga serie di nomi favolosi con cui Maso del Saggio confonde e incanta il povero Calandrino. Ricorda come anche Frate Cipolla si serviva di questo stratagemma per imbrogliare i suoi ascoltatori.

naccia, della migliore che mai si bevve, senza avervi entro gocciola d'acqua.[15]

«Oh!» disse Calandrino «cotesto è buon paese; ma dimmi, che si fa de' capponi che cuocon coloro?»

Rispose Maso: «Mangiansegli i baschi tutti.»

Disse allora Calandrino: «Fostivi tu mai?»

A cui Maso rispose: «Di' tu se io vi fu' mai? Sì vi sono stato così una volta come mille.[16]»

Disse allora Calandrino: «E quante miglia ci ha?»

Maso rispose: «Haccene più di millanta, che tutta notte canta.[17]»

Disse Calandrino: «Dunque dee egli essere più là che Abruzzi.[18]»

«Sì bene,» rispose Maso «sì è cavelle.[19]»

Calandrino semplice, veggendo Maso dir queste parole con un viso fermo e senza ridere, quella fede vi dava che dar si può a qualunque verità è più manifesta, e così l'aveva per vere; e disse: «Troppo ci è di lungi a' fatti miei: ma se più presso ci fosse, ben ti dico che io vi verrei una volta con esso teco pur per veder fare il tomo a quei maccheroni e tormene una satolla.[20] Ma dimmi, che lieto sie tu, in queste contrade non se ne truova niuna di queste pietre così virtuose?»

A cui Maso rispose: «Sì, due maniere di pietre ci si truovano di grandissima virtù. L'una sono i macigni da Settignano e da Montisci, per vertù de' quali, quando son macine fatti, se ne fa la farina, e per ciò si dice egli in que' paesi di là che da Dio vengon le grazie e da Montisci le macine; ma ècci di questi macigni sì gran quantità, che appo noi è poco prezzata, come appo loro gli smeraldi, de' quali v'ha maggior montagne che Monte Morello,[21] che rilucon di mezzanotte vatti con Dio; e sappi che chi facesse le macine belle e fatte legare in anella prima che elle si

---

[13] Altra località immaginaria. Probabilmente qui il Boccaccio allude al favoloso paese di Cuccagna, derivato dal «Dit de Coquaigne», creazione fantastica medievale.

[14] Un denaro era la dodicesima parte di un soldo, quindi una somma molto piccola.

[15] Maso è molto astuto: con abili giochi di parole e racconti di luoghi inesistenti, accende la fantasia di Calandrino e lo fa cadere in trappola.

[16] Qui Maso confonde Calandrino attraverso i numeri.

[17] Parole che hanno un suono fantastico, e per di più sono in rima; il povero Calandrino rimane incantato ad ascoltare.

naccia, della migliore che si sia mai bevuta, senza che ci fosse dentro una goccia d'acqua.

«Oh!» disse Calandrino «questo è un bel paese; ma dimmi, cosa si fa con i capponi cotti da quelle persone?»

Maso rispose: «I baschi se li mangiano tutti.»

Allora Calandrino chiese: «Tu ci sei mai stato?»

Maso rispose: «Mi domandi se ci sono mai stato? Sì, ci sono stato una volta come mille.»

Allora Calandrino chiese: «E quante miglia è lontano?»

Maso rispose: «Sta a più di millanta, che tutta notte canta.»

Calandrino disse: «Allora deve essere più lontano degli Abruzzi.»

«Certamente» rispose Maso «è così, proprio per nulla.»

Lo sciocco Calandrino, vedendo che Maso diceva queste parole con un viso impassibile e senza ridere, vi prestava quella fiducia che si può dare alle verità più evidenti, e così pensava che fossero vere; e disse: «È troppo lontano dai luoghi dove io curo i miei interessi: ma se fosse più vicino, ti dico che sicuramente una volta ci andrei con te per vedere ruzzolare quegli gnocchi e farmene una scorpacciata. Ma dimmi, che tu sia lieto, da queste parti non se ne trovano, di queste pietre così miracolose?»

Maso rispose: «Sì, ci si trovano due tipi di pietre veramente miracolose. Una sono i macigni di Settignano e di Montici, per virtù dei quali, quando sono trasformati in macine, se ne ricava la farina, e per questo da quelle parti si dice che da Dio vengono le grazie e da Montici le macine; ma c'è una così grande quantità di questi macigni, che da noi è poco apprezzata, così come da loro gli smeraldi, di cui ci sono montagne più grandi di Monte Morello, che brillano a mezzanotte e poi vai con Dio; devi sapere che chi riuscisse ad infilare come anelli le macine prima

18 La geografia di Calandrino è assai strana ed arricchisce la situazione di ulteriore comicità.

19 Osserva che Maso nega fingendo di affermare proprio come Frate Cipolla con i suoi ascoltatori; Calandrino sembra intendere solo le prime parole delle sue frasi.

20 Come vedremo anche più avanti, uno dei tratti principali della psicologia di Calandrino è l'ingordigia, vuoi di maccheroni, vuoi di guadagni. Proprio questa avidità lo porta ad essere vittima della burla.

21 Settignano, Montici e Monte Morello sono delle colline vicino a Firenze, con importanti cave di pietra serena.

22 Ancora parole prive di senso, che però hanno un grande effetto su Calandrino, perché vengono pronunciate con grande solennità.

23 Osserva la ripetizione, per quattro volte in poche righe, del verbo *cercare*. Il Boccaccio mette così in ulteriore evidenza l'affanno, l'ansia di Calandrino.

24 Antico monastero fiorentino poi distrutto, situato pressappoco dove attualmente sorge la Fortezza da Basso. Il Vasari, in «Vita di

forassero e portassele al soldano, n'avrebbe ciò che volesse. L'altra si è una pietra, la quale noi altri lapidarii appelliamo elitropia, pietra di troppo gran vertù, per ciò che qualunque persona la porta sopra di sé, mentre la tiene, non è da alcuna altra persona veduto dove non è.»
Allora Calandrin disse: «Gran virtù son queste; ma questa seconda dove si truova?»
A cui Maso rispose che nel Mugnone se ne solevan trovare.
Disse Calandrino: « Di che grossezza è questa pietra? o che colore è il suo?»
Rispose Maso: « Ella è di varie grossezze, ché alcuna n'è più, alcuna meno, ma tutte son di colore quasi come nero.[22]»

Calandrino, avendo tutte queste cose seco notate, fatto sembianti d'avere altro a fare, si partì da Maso e seco propose di volere cercare di questa pietra; ma diliberò di non volerlo fare senza saputa di Bruno e di Buffalmacco, li quali spezialissimamente amava. Diessi adunque a cercar di costoro, acciò che senza indugio e prima che alcuno altro n'andassero a cercare, e tutto il rimanente di quella mattina consumò in cercargli.[23] Ultimamente, essendo già l'ora della nona passata, ricordandosi egli che essi lavoravano nel monistero delle donne di Faenza,[24] quantunque il caldo fosse grandissimo, lasciata ogni altra sua faccenda, quasi correndo[25] n'andò a costoro e chiamatigli così disse loro: «Compagni, quando voi vogliate credermi, noi possiamo divenire i più ricchi uomini di Firenze: per ciò che io ho inteso da uomo degno di fede che in Mugnone si truova una pietra, la qual chi la porta sopra non è veduto da niuna altra persona; per che a me parrebbe che noi senza alcuno indugio, prima che altra persona v'andasse, v'andassimo a cercar. Noi la troverem per certo, per ciò che io la conosco; e trovata che noi l'avremo, che

che esse siano forate nel centro e le portasse al Sultano, ne ricaverebbe tutto ciò che desidera. L'altra è una pietra che noi esperti chiamiamo elitropia, una pietra con incredibili virtù, poiché chi la porta addosso, finché la tiene, non è visto da nessuno dove non è.»
Allora Calandrino disse: «Queste sono grandi virtù; ma dove si trova questa seconda pietra?»
Maso rispose che in genere si trovavano nel Mugnone.
Calandrino disse: «Di che grandezza è questa pietra? E qual è il suo colore?»
Maso rispose: «Può essere di varie grandezze, perché qualcuna è più grande e qualcuna è meno grande, ma tutte sono di un colore quasi come il nero.»
Calandrino, che aveva preso nota di tutte queste cose, fingendo di avere altro da fare, lasciò Maso e si propose ci mettersi alla ricerca di questa pietra; ma decise di non farlo all'insaputa di Bruno e Buffalmacco, a cui era particolarmente affezionato. Si mise dunque a cercarli, per poter andare subito a cercare le pietre prima che qualcun altro andasse a cercarle, e passò tutto il resto della mattina a cercarli. Finalmente, quando già erano passate le tre del pomeriggio, egli si ricordò che i due stavano lavorando al monastero delle monache in via Faenza, e nonostante il grandissimo caldo, lasciata ogni altra occupazione, quasi correndo andò da loro e, dopo averli chiamati, così gli disse: «Amici, se mi credete, possiamo diventare gli uomini più ricchi di Firenze: infatti ho sentito dire da un uomo degno di fiducia che nel Mugnone si trova una pietra la quale fa sì che chi la porta addosso non è visto da nessun altro; perciò mi sembrerebbe opportuno che noi andassimo a cercarla subito, prima che ci vadano altri. Noi sicuramente la troveremo, perché io so come è fatta; e dopo che l'avremo trovata, che avremo da fare se non metterla nella tasca e

Buffalmacco», narra che questo pittore lavorò effettivamente presso queste suore.

25 Nota la comicità di questa corsa di Calandrino, che sfida il grande caldo del pomeriggio estivo per informare subito gli amici della novità appresa da Maso del Saggio: Calandrino non ha assolutamente intenzione di lasciarsi sfuggire il grande affare, sa che ogni minuto è prezioso, vuole impossessarsi prima possibile della pietra che rende invisibili.

26 La *scarsella* era generalmente in cuoio, e si portava attaccata alla cintura.

27 Calandrino è assolutamente certo della serietà dell'impresa.

28 Ai due amici è sufficiente un'occhiata per intendersi. Già è nata l'idea di una qualche beffa ai danni di Calandrino.

29 Il trotto e l'ambio o ambiadura sono due diversi passi del cavallo. L'ambio per

avrem noi a fare altro se non mettercela nella scarsella[26] e andare alle tavole de' cambiatori, le quali sapete che stanno sempre cariche di grossi e di fiorini, e torcene quanti noi ne vorremo? Niuno ci vedrà; e così potremo arricchire subitamente, senza avere tutto dì a schiccherare le mura a modo che fa la lumaca.[27]»

Bruno e Buffalmacco, udendo costui, fra se medesimi cominciarono a ridere, e guatando l'un verso l'altro[28] fecer sembianti di maravigliarsi forte e lodarono il consiglio di Calandrino; ma domandò Buffalmacco come questa pietra avesse nome.

A Calandrino, che era di grossa pasta, era già il nome uscito di mente; per che egli rispose: «Che abbiam noi a far del nome poi che noi sappiamo la vertù? A me parrebbe che noi andassomo a cercare senza star più.»

«Or ben» disse Bruno « come è ella fatta?»

Calandrin disse: «Egli ne son d'ogni fatta ma tutte son quasi nere; per che a me pare che noi abbiamo a ricogliere tutte quelle che noi vederem nere, tanto che noi ci abbattiamo a essa; e per ciò non perdiam tempo, andiamo.»

A cui Bruno disse: «Or t'aspetta»; e volto a Buffalmacco disse: «A me pare che Calandrino dica bene, ma non mi pare che questa sia ora da ciò, per ciò che il sole è alto e dà per lo Mugnone entro e ha tutte le pietre rasciutte, per che tali paion testé bianche, delle pietre che vi sono, che la mattina, anzi che il sole l'abbia rasciutte, paion nere: e oltre a ciò molta gente per diverse cagioni è oggi, che è dì da lavorare, per lo Mugnone, li quali vedendoci si potrebbono indovinare quello che noi andassomo faccendo e forse farlo essi altressì; e potrebbe venire alle mani a loro, e noi avremmo perduto il trotto per l'ambiadura.[29] A me pare, se pare a voi, che questa sia opera da dover far da mattina, che si conoscon meglio le nere dal-

andare ai banchi dei cambiatori, che come sappiamo sono sempre carichi di monete d'argento e di fiorini, e prendercene quanti ne vogliamo?» Non ci vedrà nessuno; così potremo diventare ricchi immediatamente, senza dover imbrattare i muri tutto il giorno come fanno le lumache.»

Bruno e Buffalmacco, nel sentirlo, cominciarono a ridere dentro di sé e guardandosi fecero finta di meravigliarsi molto e apprezzarono il consiglio di Calandrino; e Buffalmacco domandò come si chiamava quella pietra.

Calandrino, che era fatto di pasta grossa, aveva già dimenticato il nome, per cui rispose: «Che cosa ce ne facciamo del nome, visto che ne conosciamo i poteri?» Mi sembrerebbe più opportuno andare a cercare senza stare ancora qui.»
«Bene» disse Bruno «e come è fatta?»
Calandrino disse: «Ce ne sono di ogni forma ma sono quasi tutte nere; per cui credo che dovremmo raccogliere tutte quelle nere fino a quando non troveremo quella giusta; perciò non perdiamo tempo, andiamo.»
Bruno disse: «Aspetta»; e disse, rivolto a Buffalmacco: «Mi sembra che Calandrino abbia ragione, ma non credo che questa sia l'ora adatta per farlo, perché il sole è alto e picchia sul greto del Mugnone e ha asciugato tutte le pietre, per cui alcune di quelle che adesso sembrano bianche la mattina, prima che il sole le abbia asciugate, sembrano nere: inoltre oggi, che è giorno di lavoro, per diversi motivi c'è molta gente lungo il Mugnone, e se ci vedono potrebbero indovinare quello che stiamo facendo; così la pietra potrebbe andare nelle loro mani e noi avremmo perso il trotto per l'ambio. Mi pare, se anche voi siete d'accordo, che questo sia un lavoro da fare di mattina, quando meglio si distinguono le pietre nere da quelle bianche, e in

l'animale risulta più difficile da imparare, in quanto comporta il portare avanti contemporaneamente le due zampe dello stesso lato, in alternanza all'elevazione di quelle del lato opposto; esiste il rischio che per imparare l'ambio il cavallo disimpari il passo più semplice e più importante, cioè il trotto. Qui Buffalmacco, con questa frase, fa credere di non voler perdere la pietra per la smania di volerla troppo presto.

le bianche, e in dì di festa, che non vi sarà persona che ci vegga.[30]»

Buffalmacco lodò il consiglio di Bruno, e Calandrino vi s'accordò: e ordinarono che la domenica mattina vegnente tutti e tre fossero insieme a cercar di questa pietra; ma sopra ogni altra cosa gli pregò Calandrino che essi non dovesser questa cosa con persona del mondo ragionare,[31] per ciò che a lui era stata posta in credenza.[32] E ragionato questo, disse loro ciò che udito avea della contrada di Bengodi, con saramenti affermando che così era. Partito Calandrino da loro, essi quello che intorno a questo avessero a fare ordinarono fra se medesimi.

Calandrino con disidero aspettò la domenica mattina:[33] la qual venuta, in sul far del dì si levò. E chiamati i compagni, per la porta a San Gallo usciti e nel Mugnon discesi cominciarono a andare in giù della pietra cercando. Calandrino andava, e come più volenteroso, avanti e prestamente or qua e or là saltando, dovunque alcuna pietra nera vedeva si gittava e quella ricogliendo si metteva in seno.[34] I compagni andavano appresso, e quando una e quando un'altra ne ricoglievano; ma Calandrino non fu guari di via andato, che egli il seno se n'ebbe pieno, per che, alzandosi i gheroni della gonnella, che alla analda[35] non era, e faccendo di quegli ampio grembo, bene avendogli alla coreggia attaccati d'ogni parte, non dopo molto gli empié, e similmente, dopo alquanto spazio, fatto del mantello grembo, quello di pietre empié. Per che, veggendo Buffalmacco e Bruno che Calandrino era carico e l'ora del mangiare s'avicinava, secondo l'ordine da sé posto disse Bruno a Buffalmacco: «Calandrino dove è?[36]»

Buffalmacco, che ivi presso sel vedea, volgendosi intorno e or qua e or là riguardando, rispose: «Io non so, ma egli era pur poco fa qui dinanzi da noi.»

30 Bruno, con il suo atteggiamento prudente, si contrappone a Calandrino, che invece è smanioso di portare a termine l'impresa; Bruno sa benissimo che lo scherzo, se rimandato alla domenica seguente, sarà molto più divertente.

31 Nel Decamerone è comune l'uso transitivo di *ragionare*.

32 Una delle tipiche e frequenti millanterie di Calandrino, utilizzate per suscitare stima e ammirazione nell'interlocutore.

33 Si può avvertire come l'ansia di Calandrino sia stata grandissima in tutti i giorni che hanno preceduto la domenica: chissà quanti progetti, quanti sogni avranno frequentato la sua mente illusa!

un giorno di festa, quando nessuno potrà vederci.»
Buffalmacco apprezzò il consiglio di Bruno, e Calandrino fu d'accordo: e decisero di trovarsi tutti e tre assieme la domenica mattina seguente per cercare quella pietra; ma Calandrino li pregò soprattutto di non parlare di questa cosa con nessuno, perché gli era stata detta in gran segreto. Quindi gli disse che aveva sentito parlare del paese di Bengodi giurando che era così. Quando Calandrino se ne andò, i due si misero d'accordo su ciò che avrebbero fatto a questo proposito.

Calandrino aspettò con ansia la domenica mattina: quando fu arrivata, si alzò alle prime luci del giorno e chiamò gli amici; uscirono attraverso la porta di San Gallo, scesero al Mugnone e cominciarono ad andare lungo il greto del fiume, verso la foce, alla ricerca della pietra. Calandrino, che era il più volenteroso, andava avanti, e saltando rapidamente ora qua ora là, si gettava ovunque vedesse una pietra nera, la raccoglieva e se la metteva in seno. Gli amici lo seguivano, e ne raccoglievano ora una e ora un'altra; ma Calandrino non fece molta strada, che ebbe il seno pieno di pietre, per cui, alzandosi i lembi della veste, che non era fatta alla moda di Hainaut, dopo averli attaccati da ogni parte della cintura di cuoio fece con quelli un grande grembo, e dopo non molto tempo lo riempì; allo stesso modo, dopo un po', prese in mano le falde del mantello così da farne un grembo e lo riempì di pietre. Quando Buffalmacco e Bruno videro che Calandrino era carico e che si avvicinava l'ora di mangiare, secondo il piano stabilito fra loro, Bruno disse a Buffalmacco: «Calandrino dov'è?» Buffalmacco, che se lo vedeva vicino, girandosi intorno e guardando ora qua ora là, rispose: «Non lo so, ma poco fa era qui davanti a noi.»

34 Finalmente Calandrino può sfogare la sua cupidigia! Il Boccaccio qui ci offre un'immagine assai espressiva di Calandrino. Quasi lo vediamo correre e saltellare agitato, mentre i due compagni si limitano a seguirlo senza grande entusiasmo, in attesa di dare inizio alla parte più divertente dello scherzo.

35 L'Hainaut, in Belgio, era un importante centro di vita cavalleresca. La moda dell'Hainaut, allora assai diffusa in Europa, richiedeva la veste corta.

36 Lo scherzo ideato da Bruno e Buffalmacco entra adesso nella fase cruciale.

37 Era questo un modo piuttosto usuale di richiamare l'attenzione dell'interlocutore.

38 L'espressione mette in evidenza la lentezza dei movimenti di Calandrino, il quale adesso ha perso la sua precedente agilità a causa del carico di pietre che si porta nella veste.

39 È uno dei periodi più belli della novella; con poche limpide parole, il Boccaccio riesce a dare grande espressività e comicità alla scena.

Disse Bruno: «Ben che fa poco ! a me par egli esser certo che egli è ora a casa a desinare e noi ha lasciati nel farnetico d'andar cercando le pietre nere giù per lo Mugnone.»

«Deh come egli ha ben fatto» disse allor Buffalmacco «d'averci beffati e lasciati qui, poscia che noi fummo sì sciocchi, che noi gli credemmo. Sappi![37] chi sarebbe stato sì stolto, che avesse creduto che in Mugnone si dovesse trovare una così virtuosa pietra, altri che noi?»

Calandrino, queste parole udendo, imaginò che quella pietra alle mani gli fosse venuta e che per la vertù d'essa coloro, ancor che loro fosse presente, nol vedessero. Lieto adunque oltre modo di tal ventura, senza dir loro alcuna cosa, pensò di tornarsi a casa; e volti i passi indietro se ne cominciò a venire.[38]

Vedendo ciò, Buffalmacco disse a Bruno: «Noi che faremo? ché non ce ne andiam noi?»

A cui Bruno rispose: «Andianne; ma io giuro a Dio che mai Calandrino non me ne farà più niuna; e se io gli fossi presso come stato sono tutta mattina, io gli darei tale di questo ciotto nelle calcagna, che egli si ricorderebbe forse un mese di questa beffa»; e il dir le parole e l'aprirsi e 'l dar del ciotto nel calcagno a Calandrino fu tutto uno. Calandrino, sentendo il duolo, levò alto il piè e cominciò a soffiare ma pur si tacque e andò oltre.[39]

Buffalmacco, recatosi in mano uno de' codoli che raccolti avea, disse a Bruno: «Deh vedi bel codolo: così giugnesse egli testé nelle reni a Calandrino!» e lasciato andare, gli diè con esso nelle reni una gran percossa; e in brieve in cotal guisa, or con una parola e or con un'altra, su per lo Mugnone infino alla porta a San Gallo[40] il vennero lapidando.[41] Quindi, in terra gittate le pietre che ricolte aveano, alquanto con le guardie de' gabellieri[42] si ristettero; le quali, prima da loro informate, faccendo vista di non

Bruno disse: «Altro che poco! Sono sicuro che adesso è a casa a mangiare e ci ha lasciati ad ammattire per cercare le pietre nere giù per il Mugnone.»

«Deh, ha fatto proprio bene» disse allora Buffalmacco «a prendersi gioco di noi e a lasciarci qui, visto che siamo stati così stupidi da credergli. Pensa! Chi, se non noi, sarebbe stato così stolto da credere che nel Mugnone si trovasse una pietra così miracolosa?»

Calandrino, sentendo queste parole, immaginò che quella pietra gli fosse capitata fra le mani e che grazie alle sue virtù gli amici non lo vedessero, benché egli fosse proprio di fronte. Felice più che mai di quanto era successo, pensò dunque di tornare a casa senza dirgli niente; così si voltò e cominciò ad andarsene.

Vedendo questo, Buffalmacco disse a Bruno: «E noi che cosa facciamo? Perché non ce ne andiamo?»

Bruno rispose: «Andiamocene; ma giuro a Dio che Calandrino non me ne combinerà altre; e se io gli fossi vicino, come gli sono stato tutta la mattina, gli tirerei tanti di questi ciottoli nelle calcagna che si ricorderebbe di questo scherzo per più di un mese»; e mentre diceva queste parole allargò le braccia per colpire con un ciottolo il calcagno di Calandrino. Calandrino, sentendo il dolore, alzò il piede e cominciò a soffiare, tuttavia rimase in silenzio e andò avanti.

Buffalmacco, preso in mano uno dei ciottoli che aveva raccolto, disse a Bruno: «Deh, guarda che bel ciottolo: così arrivasse nelle reni a Calandrino!» e, lasciatolo andare, con quello gli dette un gran colpo nelle reni; e in tal modo in poco tempo, ora con una parola ora con un'altra, lo presero a sassate su per il Mugnone fino alla porta di San Gallo. Quindi, messe a terra le pietre che avevano raccolto, si intrattennero a lungo con le guardie del dazio le quali, informate in precedenza, facendo finta di non vedere Calandrino

40 Anche la scena dell'inseguimento è di una grande comicità.

41 Osserva l'intenzione ironica del Boccaccio nella scelta del verbo. *Lapidare* era usato di solito in circostanze ben più gravi e drammatiche; era un verbo più consono a un martirio, ad esempio, che a una beffa di questo genere.

42 Le guardie incaricate di riscuotere il dazio per il transito delle merci.

43 Osserva la brevità di questa frase: la novella è giunta a una fase decisiva.

44 Appellativo comunemente dato alle donne sposate.

45 Il nome *Tessa* era a quel tempo molto comune in Toscana, a seguito della leggendaria fama della contessa Matilde.

vedere lasciarono andar Calandrino con le maggior risa del mondo. Il quale senza arrestarsi se ne venne a casa sua, la quale era vicina al Canto alla Macina; e in tanto fu la fortuna piacevole alla beffa, che, mentre Calandrino per lo fiume ne venne e poi per la città, niuna persona gli fece motto, come che pochi ne scontrasse per ciò che quasi a desinare era ciascuno.

Entrossene adunque Calandrino così carico in casa sua.[43] Era per avventura la moglie di lui, la quale ebbe nome monna[44] Tessa,[45] bella e valente donna, in capo della scala: e alquanto turbata della sua lunga dimora, veggendol venire cominciò proverbiando a dire: «Mai, frate,[46] il diavol ti ci reca! Ogni gente ha già desinato quando tu torni a desinare.»

Il che udendo Calandrino e veggendo che veduto era, pieno di cruccio e di dolore cominciò a gridare: «Oimè, malvagia femina, o eri tu costì? Tu m'hai diserto, ma in fé di Dio io te ne pagherò!» e salito in una sua saletta e quivi scaricate le molte pietre che recate avea, niquitoso corse verso la moglie e presala per le trecce la si gittò a' piedi, e quivi, quanto egli poté menar le braccia e' piedi, tanto le diè per tutta la persona: pugna e calci, senza lasciarle in capo capello o osso adosso che macero non fosse le diede, niuna cosa valendole il chieder mercé con le mani in croce.[47]

Buffalmacco e Bruno, poi che co' guardiani della porta ebbero alquanto riso, con lento passo cominciarono alquanto lontani a seguitar Calandrino; e giunti a piè dell'uscio di lui sentirono la fiera battitura la quale alla moglie dava, e faccendo vista di giugnere pure allora il chiamarono. Calandrino tutto sudato, rosso e affannato si fece alla finestra e pregogli che suso a lui dovessero andare. Essi, mostrandosi alquanto turbati, andaron suso e videro la sala piena di pietre e nell'un de' canti la donna scapigliata, stracciata,

lo lasciarono passare fra le più grandi risate del mondo. Calandrino senza fermarsi tornò alla sua casa, che era vicina al Canto alla Macina; la sorte fu tanto propizia alla beffa che, quando Calandrino venne su per il fiume e poi per la città, nessuno gli rivolse la parola, anche se incontrò poche persone dato che tutti erano a mangiare.

Dunque Calandrino così carico di pietre entrò in casa sua. Sua moglie, che si chiamava monna Tessa ed era una donna bella e virtuosa, si trovava per caso in cima alla scala: e molto arrabbiata per il grande ritardo del marito, vedendolo venire cominciò a rimproverarlo: «Qualche volta, fratello, il diavolo ti ci riporta a casa! Tu torni a pranzare quando tutti hanno già pranzato.»

Calandrino, udendo queste parole e accorgendosi di non essere più invisibile, cominciò a gridare pieno di collera e di dispiacere: «Ohimè, donna malvagia, tu eri lì? Tu mi hai rovinato, ma per Dio te la farò pagare!» e salito in una sua stanzetta scaricò là le molte pietre che aveva portato, poi corse furibondo verso la moglie, la prese per le trecce, la gettò ai suoi piedi e la picchiò su tutto il corpo, per quanto poté muovere le braccia e i piedi: le dette pugni e calci, senza lasciarle capello in testa o osso che non fosse pesto, e a nulla servì chiedergli perdono con le mani in croce.

Buffalmacco e Bruno, dopo aver riso a lungo con le guardie della porta, con passo lento cominciarono a seguire Calandrino un po' a distanza; arrivati sotto la porta sentirono i colpi tremendi dati alla moglie, e facendo finta di arrivare solo in quel momento, lo chiamarono. Calandrino si affacciò alla finestra tutto sudato, rosso in viso e pieno di affanno, e li pregò di salire da lui. I due, mostrandosi spaventati, salirono di sopra, videro la stanza piena di pietre e in un angolo videro la moglie piangere di dolore, spettinata,

46 La parola *frate* ha qui una tinta ironica; nonostante le parole in apparenza affettuose, infatti, la donna è arrabbiata con il marito a causa del suo ritardo.

47 Calandrino è infuriato e scarica la sua rabbia sulla moglie innocente; è una scena impressionante, di grande violenza.

48 Ricorda che in precedenza, quando i suoi sogni erano ancora intatti, Calandrino aveva la veste legata per poter prendere le pietre. Adesso il Boccaccio pare voler dire che anche la cupidigia, l'ansia di possesso del personaggio si è perduta, e si è trasformata in una disperazione, in una rassegnazione alla sventura.

49 Nota l'improvviso cambiamento dell'atmosfera della novella. La comicità ha lasciato il posto alla malinconia: Calandrino ha appena percosso la moglie, è stanco, distrutto nel morale, pare che in un attimo si sia accorto della vanità di tutte le sue illusioni.

tutta livida e rotta nel viso, dolorosamente piagnere; e d'altra parte Calandrino, scinto[48] e ansando a guisa d'uom lasso,[49] sedersi.

Dove, come alquanto ebbero riguardato, dissero: «Che è questo, Calandrino? vuoi tu murare, ché noi veggiamo qui tante pietre?» e oltre a questo sugiunsero: «E monna Tessa che ha? E' par che tu l'abbi battuta: che novelle son queste?» Calandrino, faticato[50] dal peso delle pietre e dalla rabbia con la quale la donna aveva battuta e dal dolore della ventura la quale perduta gli pareva avere, non poteva raccoglier lo spirito a formare intera la parola alla risposta; per che soprastando, Buffalmacco rincominciò: «Calandrino, se tu avevi altra ira, tu non ci dovevi per ciò straziare come fatto hai; ché, poi sodotti ci avesti a cercar teco della pietra preziosa, senza dirci a Dio né a diavolo, a guisa di due becconi nel Mugnon ci lasciasti e venistitene, il che noi abbiamo forte per male; ma per certo questa fia la sezzaia che tu ci farai mai.»

A queste parole Calandrino sforzandosi rispose: «Compagni, non vi turbate, l'opera sta altramenti che voi non pensate. Io, sventurato!, aveva quella pietra trovata; e volete udire se io dico il vero? Quando voi primieramente di me domandaste l'un l'altro, io v'era presso a men di diece braccia e veggendo che voi ve ne venavate e non mi vedavate v'entrai innanzi, e continuamente poco innanzi a voi me ne son venuto.» E cominciandosi dall'un de' capi infin la fine raccontò loro ciò che essi fatto e detto aveano e mostrò loro il dosso e le calcagna come i ciotti conci gliel'avessero;[51] e poi seguitò: «E dicovi che, entrando alla porta con tutte queste pietre in seno che voi vedete qui, niuna cosa mi fu detta, ché sapete quanto esser sogliano spiacevoli e noiosi que' guardiani a volere ogni cosa vedere; e oltre a questo ho trovati per la via più miei compari e amici, li qua-

con le vesti strappate, tutta livida e pestata nel viso; dall'altra parte videro Calandrino sedersi, slacciato e ansimante come un uomo sfinito. Dopo aver guardato a lungo, dissero: «Che significa questo, Calandrino? Vuoi far dei muri, che vediamo qui tante pietre?» e poi aggiunsero: «E cos'ha monna Tessa? Sembra che tu l'abbia picchiata: che novità sono queste?» Calandrino, affaticato dal peso delle pietre, dalla rabbia con cui aveva picchiato la donna e dalla sorte che gli pareva di aver perso, non poteva riprendere fiato per formare completamente la risposta; per cui, visto che lui indugiava, Buffalmacco ricominciò: «Calandrino, se eri arrabbiato per un'altra ragione, non per questo ci dovevi prendere in giro come hai fatto; perché, dopo averci spinto a cercare con te la pietra preziosa, senza dirci né addio né al diavolo ci hai lasciati nel Mugnone e te ne sei venuto via, e per questo noi ce la siamo presa molto a male; ma sicuramente questa è l'ultima che ci fai.»

A queste parole Calandrino sforzandosi rispose: «Amici, non vi arrabbiate, le cose stanno diversamente da come voi pensate. Io, sfortunato, avevo trovato quella pietra; volete sapere se dico la verità? Quando voi all'inizio vi domandavate l'un l'altro di me, io ero vicino a voi a meno di dieci braccia e vedendo che voi venivate e non mi vedevate mi sono messo davanti a voi, e continuamente vi sono stato davanti.» E cominciando dall'inizio per arrivare alla fine, gli raccontò quello che loro avevano fatto e detto e gli mostrò come i ciottoli gli avessero ridotto la schiena e le calcagna; e poi continuò: «E vi dico che, quando sono entrato per la porta con in seno tutte le pietre che voi vedete qui, non mi hanno detto nulla, e voi sapete quanto generalmente sono antipatiche e noiose quelle guardie, e come vogliono sempre vedere tutto; oltre a questo, per la strada ho incontrato alcuni com-

50 Con grande efficacia il Boccaccio collega lo stesso participio *faticato* a cause di diversa natura, materiali e morali.

51 Ciò che Calandrino crede sia prova della sua grandezza, in realtà è prova della sua ingenuità. Osserva come nel finale della novella il Boccaccio cambi tono: traspare infatti una sorta di tragicità in Calandrino, ed egli è adesso un uomo deluso e ferito sia fisicamente che spiritualmente. Calandrino non è più il semplice stupido, colui di cui gli altri si burlano; assume quasi una valenza di simbolo, simbolo dell' umanità che, crollate le illusioni, si trova davanti le macerie dei propri sogni.

52 I due compagni hanno abbondantemente goduto lo scherzo ai danni di Calandrino. Adesso però questo gesto pare rappresentare una sorta di epilogo, il ritorno alla normalità della vita giornaliera in cui ci sono determinate regole vedi il rispetto per le donne. Aiutando Calandrino nella riconciliazione con la moglie, sembra che i due compagni intendano risvegliare Calandrino dal sogno, aiutandolo a riconciliarsi pure con la realtà.

li sempre mi soglion far motto e invitarmi a bere, né alcun fu che parola mi dicesse né mezza, sì come quegli che non mi vedeano. Alla fine, giunto qui a casa, questo diavolo di questa femina maladetta mi si parò dinanzi e ebbemi veduto, per ciò che, come voi sapete, le femine fanno perder la vertù a ogni cosa: di che io, che mi poteva dire il più avventurato uom di Firenze, sono rimaso il più sventurato; e per questo l'ho tanto battuta quanto io ho potuto menar le mani e non so a quello che io mi tengo che io non le sego le veni, che maladetta sia l'ora che io prima la vidi e quando ella mai venne in questa casa!» E raccesosi nell'ira si voleva levare per tornare a batterla da capo.

Buffalmacco e Bruno, queste cose udendo, facevan vista di maravigliarsi forte e spesso affermavano quello che Calandrino diceva, e avevano sì gran voglia di ridere, che quasi scoppiavano; ma vedendolo furioso levare per battere un'altra volta la moglie, levatiglisi alla 'ncontro il ritennero,[52] dicendo di queste cose niuna colpa aver la donna ma egli, che sapeva che le femine facevano perdere la vertù alle cose e non l'aveva detto che ella si guardasse d'apparirgli innanzi quel giorno: il quale avvedimento Idio gli aveva tolto o per ciò che la ventura non doveva esser sua o perché egli aveva in animo d'ingannare i suoi compagni, a' quali, come s'avedeva averla trovata, il dovea palesare. E dopo molte parole, non senza gran fatica la dolente donna riconciliata con essolui e lasciandol malinconoso con la casa piena di pietre, si partirono.[53]—

pagni e amici, che parlano sempre con me e mi invitano a bere, eppure nessuno mi ha detto né una parola né mezza, come se non mi vedessero. Alla fine, arrivato qui a casa, questo diavolo di una donna maledetta si è messa davanti a me e mi ha visto, poiché le donne, come sapete, fanno perdere le virtù a qualunque cosa: così io, che credevo di essere l'uomo più fortunato di Firenze, sono rimasto quello più sfortunato; per questo motivo l'ho picchiata tanto quanto ho potuto muovere le mani e non so cosa mi trattenga dal tagliarle le vene, accidenti a quando l'ho vista per la prima volta, accidenti a quando è entrata in questa casa!» E riaccesosi di rabbia si voleva alzare per ricominciare a picchiarla.

Buffalmacco e Bruno, sentendo queste cose, facevano finta di provare grande meraviglia e spesso confermavano le parole di Calandrino, e avevano tanta voglia di ridere che quasi scoppiavano; ma vedendolo alzarsi furioso per picchiare di nuovo la moglie, gli andarono incontro e lo trattennero, dicendo che la colpa per quanto era successo non era della donna ma sua, perché sapeva che le donne facevano perdere la virtù alle cose e nonostante ciò non le aveva detto di guardarsi dall'apparirgli davanti quel giorno: Dio non gli aveva permesso di avere tale accortezza perché la fortuna non doveva essere sua o perché lui aveva in mente di ingannare i suoi amici, ai quali avrebbe dovuto mostrare la pietra appena si era accorto di averla trovata. Dopo molte parole, faticosamente riconciliarono la donna dolorante con Calandrino e se ne andarono, lasciandolo malinconico con la casa piena di pietre.

[53] Immagine stupenda con cui il Boccaccio termina il ritratto di Calandrino. Adesso il lettore ha davanti a sé un uomo sciocco e credulone, nonché avido e violento; ma ecco apparire visibilmente l'uomo tradito dai propri sogni, l'uomo solo e malinconico che a stento si rassegna alla miseria della propria realtà quotidiana.

L'opera

Nel 1348 Firenze è colpita dalla peste. La città è sconvolta, migliaia di persone muoiono a causa della terribile malattia. Dieci giovani di ricca famiglia, per evitare il contagio, fuggono da Firenze e si ritirano in una villa sulle colline vicine. Restano là per due settimane e trascorrono il tempo con svaghi piacevoli, banchetti, balli e conversazioni. Decidono inoltre di riunirsi ogni giorno, tranne il sabato e la domenica, per raccontarsi delle novelle, una per ciascuno.

Il *Decamerone* (parola di origine greca che significa «dieci giornate») raccoglie proprio queste cento novelle, ambientate nella realtà della borghesia del Trecento. La realtà dei Comuni del Medio Evo, dove fiorisce il commercio e la mentalità imprenditoriale, dove l'iniziativa personale e l'ingegno sono le doti che permettono agli uomini di migliorare le proprie condizioni di vita ed ottenere il benessere economico.

Il Boccaccio ricava il materiale per le sue novelle da fonti classiche e medievali, da fatti storici e dalla sua stessa esperienza. Emergono tre motivi principali:

1. L'amore molto spesso è ciò che determina i comportamenti umani. Ogni tentativo di soffocarlo è vano. L'amore, inteso qui soprattutto come impulso sessuale, infrange ogni barriera, sociale, morale o religiosa. Questo fa parte della natura umana e come tale è accettato dal Boccaccio.

2. L'intelligenza è la dote fondamentale dell'uomo. Per il Boccaccio è intelligente chi sa sfruttare le situazioni a proprio vantaggio, anche attraverso l'inganno. Nel *Decamerone* il furbo trionfa sempre sullo sciocco, sull'ingenuo: il Boccaccio mostra sempre grande simpatia per i personaggi che utilizzano l'intelligenza e l'astuzia per indirizzare la Fortuna a loro favore; d'altra parte, non perdona gli sciocchi, né coloro che mal si adattano alle situazioni, anzi li umilia, li rende ridicoli agli occhi del lettore.

3. L'ideale cortese rimane il massimo ideale della vita civile, seppur calato nella realtà borghese. L'ideale cortese riassume in sé più elementi: il tenore di vita ricco e splendido, la raffinatezza dei gusti e dei modi, la generosità nei gesti e nei pensieri.

Questi temi dunque sono tutti legati alla realtà concreta dell'uomo, hanno carattere terreno. Boccaccio è prova di una nuova visione della vita, di un nuovo modo di pensare l'uomo in relazione al mondo. Nel *Decamerone*, l'uomo è impegnato essenzialmente ad affermare la propria individualità sulla terra, cioè nella società in cui vive, e non si occupa, né si preoccupa del trascendente, dell'aldilà. L'uomo è alla ricerca del benessere e della felicità mondani; gli strumenti di cui dispone per questa ricerca sono, appunto, i propri sensi, il proprio ingegno, la propria generosità nelle azioni e nei pensieri.

I personaggi del *Decamerone* in sostanza si fanno portatori degli ideali borghesi del Trecento, sono sempre affaccendati, occupati, vivi. Con energia, volontà ed ingegno tentano di realizzarsi, in un mondo che non è cupo, né oscurato dal pensiero della morte o dalla paura del severo giudizio divino, ma è gioioso, piacevole, aperto all'iniziativa di ognuno.

Con un linguaggio realistico, vivace ed espressivo, Boccaccio osserva e descrive un mondo interamente governato dalle opere dell'uomo. La psicologia dei personaggi spesso è descritta in modo elementare, non viene precisamente definita; nonostante ciò, essi sono sempre ben caratterizzati e conformi alla loro specifica condizione sociale e storica.

LA VITA

Giovanni Boccaccio nasce nel 1313 probabilmente a Certaldo, un paese vicino a Firenze. Ancora bambino, Giovanni è condotto dal padre a Firenze, e qui è avviato alla «mercatura», cioè a un tipo di studi che avrebbero dovuto fare di lui un bravo commerciante. Successivamente, è mandato a Napoli, presso la banca dei Bardi, per fare pratica mercantile e bancaria. A Napoli Giovanni svolge il lavoro senza alcun interesse, finché decide di abbandonarlo e dedicarsi completamente agli studi letterari. Legge testi in greco e in latino, legge Dante e Petrarca, si interessa di poesia, frequenta il mondo elegante della corte di Napoli. A partire dal 1336 inizia la sua attività di scrittore, componendo opere in prosa e in versi; ricordiamo *Filocolo*, *Filostrato* e *Teseida*. È a Napoli che Giovanni si innamora di Maria d'Aquino, che più tardi comparirà nelle sue opere letterarie con il nome di Fiammetta. All'età di 27 anni Giovanni deve lasciare Napoli. Torna a Firenze e per guadagnarsi da vivere accetta di svolgere incarichi di fiducia presso alcuni principi, sempre continuando la sua attività di scrittore. Nel 1348 dilaga la peste. Tra il 1348 e il 1353 scrive la sua opera più celebre, il *Decamerone*, che viene immediatamente accolta come un capolavoro e lo rende famoso in Italia e anche all'estero. Nel 1350 conosce personalmente Francesco Petrarca; i due stringono una sincera amicizia tenuta sempre viva da una fitta corrispondenza epistolare. Nel 1362 riceve la visita del monaco senese Gioacchino Ciani, il quale lo esorta ad abbandonare la poesia e a dedicarsi alle pratiche religiose, per prepararsi alla morte ed evitare la dannazione. Boccaccio, turbato dalla visita del monaco, abbandona gli studi profani e decide di bruciare le sue opere volgari. Ma Petrarca lo convince a non farlo; inoltre lo invita presso di lui in modo da garantirgli una vita più agiata. Il Boccaccio accetta l'invito e va a Venezia, ma dopo tre mesi, deluso e insoddisfatto, torna nella tranquilla Certaldo. Muore in miseria nel 1375.

INDICE

L'italiano per stranieri

Ambroso e Di Giovanni
L'ABC dei piccoli

Ambroso e Stefancich
Parole
10 percorsi nel lessico italiano
esercizi guidati

Anelli
Tante idee...
per (far) apprendere l'italiano

Avitabile
Italian for the English-speaking

Balboni
GrammaGiochi
per giocare con la grammatica

Barki e Diadori
Pro e contro
conversare e argomentare in italiano
• **1** liv. intermedio - libro dello studente
• **2** liv. intermedio-avanzato - libro dello studente
• guida per l'insegnante

Barreca, Cogliandro e Murgia
Palestra italiana
esercizi di grammatica
livello elementare/pre-intermedio

Battaglia
Grammatica italiana per stranieri

Battaglia
Gramática italiana para estudiantes de habla española

Bettoni e Vicentini
Passeggiate italiane
lezioni di italiano - livello avanzato

Blok-Boas, Materassi e Vedder
Letture in corso
corso di lettura di italiano
• **1** livello elementare e intermedio
• **2** livello avanzato e accademico

Buttaroni
Letteratura al naturale
autori italiani contemporanei
con attività di analisi linguistica

Camalich e Temperini
Un mare di parole
letture ed esercizi di lessico italiano

Carresi, Chiarenza e Frollano
L'italiano all'Opera
attività linguistiche
attraverso 15 arie famose

Chiappini e De Filippo
Un giorno in Italia 1
corso di italiano per stranieri
principianti · elementare · intermedio
• libro dello studente con esercizi + cd audio
• libro dello studente con esercizi (senza cd audio)
• guida per l'insegnante + test di verifica
• glossario in 4 lingue + chiavi degli esercizi

Chiappini e De Filippo
Un giorno in Italia 2
corso di italiano per stranieri
intermedio · avanzato
• libro dello studente con esercizi + cd audio
• libro dello studente con esercizi (senza cd audio)
• guida per l'insegnante + test di verifica
  + chiavi

Cini
Strategie di scrittura
quaderno di scrittura - livello intermedio

Deon, Francini e Talamo
Amor di Roma
Roma nella letteratura italiana del Novecento
testi con attività di comprensione
livello intermedio-avanzato

Diadori
Senza parole
100 gesti degli italiani

du Bessé
PerCORSO GUIDAto
guida di **Roma** *con attività ed esercizi*

du Bessé
PerCORSO GUIDAto
guida di **Firenze** *con attività ed esercizi*

du Bessé
PerCORSO GUIDAto
guida di **Venezia** *con attività ed esercizi*

Gruppo CSC
Buon appetito!
tra lingua italiana e cucina regionale

Gruppo CSC
Gramm.it
grammatica italiana per stranieri
con esercizi e testi autentici

Gruppo META
Uno
corso comunicativo di italiano - primo livello
• libro dello studente
• libro degli esercizi e grammatica
• guida per l'insegnante
• 2 audiocassette / libro studente
• 1 audiocassetta / libro esercizi

Gruppo META
Due
corso comunicativo di italiano - secondo livello
• libro dello studente
• libro degli esercizi e grammatica
• guida per l'insegnante
• 3 audiocassette / libro studente
• 1 audiocassetta / libro esercizi

**Istruzioni per l'uso
dell'italiano in classe 1**
88 suggerimenti didattici
per attività comunicative

**Istruzioni per l'uso
dell'italiano in classe 2**
111 suggerimenti didattici
per attività comunicative

**Istruzioni per l'uso
dell'italiano in classe 3**
22 giochi da tavolo

Maffei e Spagnesi
Ascoltami!
22 situazioni comunicative
• manuale di lavoro
• 2 audiocassette

Marmini e Vicentini
Passeggiate italiane
lezioni di italiano - livello intermedio

Paganini
issimo
quaderno di scrittura - livello avanzato

Pontesilli
Verbi italiani
modelli di coniugazione

Radicchi
In Italia
modi di dire ed espressioni idiomatiche

Stefancich
Cose d'Italia
tra lingua e cultura

Stefancich
Quante storie!
(di autori italiani contemporanei)
con proposte didattiche

Stefancich
Tracce di animali
nella lingua italiana tra lingua e cultura

Svolacchia e Kaunzner
Suoni, accento e intonazione
corso di ascolto e pronuncia
• manuale
• set 5 cd audio

Tamponi
Italiano a modello 1
dalla letteratura alla scrittura
livello elementare e intermedio

Tettamanti e Talini
Foto parlanti
immagini, lingua e cultura

Ulisse
Faccia a faccia
attività comunicative
livello elementare-intermedio

Urbani
Le forme del verbo italiano

Verri Menzel
La bottega dell'italiano
antologia di scrittori italiani del Novecento

Linguaggi settoriali

Ballarin e Begotti
Destinazione Italia
l'italiano per operatori turistici
• manuale di lavoro
• 1 audiocassetta

Cherubini
L'italiano per gli affari
corso comunicativo di lingua
e cultura aziendale
• manuale di lavoro
• 1 audiocassetta

Dica 33
il linguaggio della medicina
• libro dello studente
• guida per l'insegnante
• 1 cd audio

L'arte del costruire
• libro dello studente
• guida per l'insegnante

Una lingua in pretura
il linguaggio del diritto
• libro dello studente
• guida per l'insegnante
• 1 cd audio

Mosaico italiano
racconti italiani su 4 livelli

1. Santoni • **La straniera** - liv. 2
2. Nabboli • **Una spiaggia rischiosa** - liv. 1
3. Nencini • **Giallo a Cortina** - liv. 2
4. Nencini • **Il mistero del quadro di Porta Portese** - liv. 3
5. Santoni • **Primavera a Roma** - liv. 1
6. Castellazzo • **Premio letterario** - liv. 4

7. Andres • **Due estati a Siena** - liv. 3
8. Nabboli • **Due storie** - liv. 1
9. Santoni • **Ferie pericolose** - liv. 3
10. Andres • **Margherita e gli altri** - liv. 2 e 3
11. Medaglia • **Il mondo di Giulietta** - liv. 1
12. Caburlotto • **Hacker per caso** - liv. 4
13. Brivio • **Rapito!** - liv. 1

Classici italiani per stranieri
testi con parafrasi a fronte* e note

1. Leopardi • **Poesie***
2. Boccaccio • **Cinque novelle***
3. Machiavelli • **Il principe***
4. Foscolo • **Sepolcri e sonetti***
5. Pirandello • **Così è (se vi pare)**
6. D'Annunzio • **Poesie***
7. D'Annunzio • **Novelle**
8. Verga • **Novelle**

9. Pascoli • **Poesie***
10. Manzoni • **Inni, odi e cori***
11. Petrarca • **Poesie***
12. Dante • **Inferno***
13. Dante • **Purgatorio***
14. Dante • **Paradiso***
15. Goldoni • **La locandiera**
16. Svevo • **Una burla riuscita**

Libretti d'Opera per stranieri
testi con parafrasi a fronte* e note

1. **La Traviata***
2. **Cavalleria rusticana***
3. **Rigoletto***
4. **La Bohème***
5. **Il barbiere di Siviglia***

6. **Tosca***
7. **Le nozze di Figaro**
8. **Don Giovanni**
9. **Così fan tutte**
10. **Otello***

Pubblicazioni di glottodidattica

Gabriele Pallotti - A.I.P.I. Associazione Interculturale Polo Interetnico
Imparare e insegnare l'italiano come seconda lingua

Progetto ITALS

La formazione di base del docente di italiano per stranieri
a cura di Dolci e Celentin

L'italiano nel mondo
a cura di Balboni e Santipolo

Cedils. Certificazione in didattica dell'italiano a stranieri
a cura di Serragiotto

Il 'lettore' di italiano all'estero
a cura di Pavan

ITALS, dieci anni di formazione
a cura di Balboni, Dolci, Serragiotto

I libri dell'Arco

1. Balboni
Didattica dell'italiano a stranieri

2. Diadori
L'italiano televisivo

3. Micheli
Test d'ingresso di italiano per stranieri

4. Benucci
La grammatica nell'insegnamento dell'italiano a stranieri

5. AA.VV.
Curricolo d'italiano per stranieri

6. Coveri, Benucci e Diadori
Le varietà dell'italiano

Attenzione: vi comunichiamo che nel 2009 trasferiremo tutti i nostri uffici.
Pertanto se vorrete in futuro telefonarci, inviare un fax, o venirci a trovare,
vi consigliamo di visitare prima il nostro sito, dove troverete i nuovi recapiti
(indirizzo, telefono e fax).
Il sito web e la posta elettronica rimangono invece invariati:
www.bonacci.it e **info@bonacci.it**
Ci scusiamo per gli eventuali disagi causati da questo trasloco.

www.bonacci.it

Bonacci editore

Finito di stampare nel mese di ottobre 2008 dalla TIBERGRAPH s.r.l. - Città di Castello (PG)